하나님이 디자인하신
완전한 나

THE PERFECT YOU
by Dr. Caroline Leaf

Copyright © 2017 by Caroline Leaf

Originally published in English under the title of
THE PERFECT YOU by Baker Books,

a division of Baker Publishing Group,
Grand Rapids, Michigan 49516, USA
www.bakerbooks.com

Korean translation Copyright © 2018 by Pure Nard
2F 16, Eonju-ro 69-gil, Gangnam-gu 8, Seoul

The Korean edition is published by arrangement with Baker Books.
All rights reserved.

본 제작물의 한국어판 저작권은 Baker Books와의 독점 계약으로 한국어 판권은 '순전한 나드'가 소유합니다.
저작권자의 허락 없이 이 책의 일부 또는 전체를 무단 복제, 전재, 발췌하면 저작권법에 의해 처벌을 받습니다.

하나님이 디자인하신
완전한 나

초판인쇄 | 2018년 10월 26일
초판발행 | 2018년 11월 2일

지 은 이 | 캐롤라인 리프
옮 긴 이 | 심현석

펴 낸 이 | 허철
총   괄 | 허현숙
편   집 | 김혜진
디 자 인 | 한영애
인 쇄 소 | 예원프린팅

펴 낸 곳 | 도서출판 순전한 나드
등록번호 | 제2010-000128
주   소 | 서울특별시 강남구 언주로69길 16, (역삼동) 2층
도서문의 | 02) 574-6702
편 집 실 | 02) 574-9702
팩   스 | 02) 574-9704
홈페이지 | www.purenard.co.kr

Printed in Korea
ISBN 978-89-6237-239-7

(CIP제어번호 : 2018034311)
이 도서의 국립중앙도서관 출판예정도서목록(CIP)은 서지정보유통지원시스템 홈페이지(http://seoji.nl.go.kr)와 국가자료공동목록시스템(http://www..nl.go.kr/kolisnet)에서 이용하실 수 있습니다.

당신의 삶을 이끌 자아의 청사진

하나님이 디자인하신
완전한 나

캐롤라인 리프 지음 | 심현석 옮김

THE
PERFECT
YOU

나와 함께
'완전한 나'의 순간들을 함께해 준
나의 귀한 남편, 맥
그리고 나의 소중한 자녀들
제시카, 도미닉, 제프리, 알렉산드리아에게
이 책을 드립니다.

이들은 전에 없던 새로운 방법으로
하나님과 인생을 체험할 수 있게 해주었습니다.

새로운 관점으로
하나님과 나의 삶을 바라보도록 도와준 가족들은
이 책에 영감을 불어넣어준 사람들입니다.
나의 가족들이 바로 '완전한 나'입니다
그들은 나의 소중한 보물입니다.
사랑합니다.

감사의 글

나는 오랫동안 뇌 과학 연구에 몸담아 왔다. 그래서 동일한 분야에 관심을 갖고 있는 수많은 사람들을 직간접적으로 알게 되었는데, 이것이 내게는 큰 특권이었다. 이 책에 담겨야 할 모든 내용을 그들이 알려 주었기 때문이다. 나는 그들 모두에게 감사드리고 싶다. 그들의 독특한 체험이 얼마나 중요한지, 아니 그들의 존재 자체가 내게 얼마나 소중한지 모른다. 그들 덕분에 내가 이 책을 쓸 수 있었다. 많은 이들이 '완전한 나'를 찾는 데 좋은 길잡이가 될 이 책을 쓰기까지 많은 도움을 준 그들에게 감사드린다.

훌륭한 연구 보조이자 나의 소중한 딸인 제시카에게 고마움을 전한다. 제시카는 너무나 멋진 조력자이다. 이 책의 집필을 위해 제시카와 토론했던 시간들이 참으로 소중하다. 제시카는 내가 설명한 개념을 잘 듣고 체계적으로 정리해 주었으며, 놀라운 편집 능력까지 보여 주었다. 제시카와의 동역은 더 없이 큰 특권이었다.

나의 소중한 가족에게 감사드린다. 맥, 제시카, 도미니크, 제프리, 그리고 알렉시! 이들의 끊임없는 사랑과 격려는 이 세상 어디에서도 찾아볼 수 없을 것이다!

마지막으로 베이커 출판사에 감사의 인사를 전한다. 이번에도 베이커 출판사의 전문적인 지원과 사랑 어린 후원 덕분에 이 책을 펴낼 수 있었다. 직원들의 수고와 헌신으로 이 책이 수많은 사람에게 전해질 수 있으니, 이 얼마나 감사한 일인가! 채드, 마크, 린지, 패티, 에린, 데이브, 캐런, 콜레트, 에일린, 그 외 베이커 출판사의 모든 임직원들에게 감사드린다.

추천사

이 책은 그동안 당신이 어떤 생각을 갖고 살아왔는지 깨닫도록 도와주며, 창조의 본연대로 변화될 것을 촉구한다. 이 책을 통해 하나님께서 당신을 위해 세우신 모든 계획이 이뤄지길 기도한다.

존 비비어 & 리사 비비어 | 메신저 인터내셔널 공동 설립자

캐롤라인 리프 박사는 하나님께서 우리 각 사람을 독특한 존재로 창조하셨음을 알려 준다. 그리고 어떻게 해야 창조 본연의 모습대로 살 수 있는지 실질적인 방안들을 소개하는데, 나 또한 이와 동일한 주제를 열정적으로 가르치고 있다. 리프 박사의 심층 분석을 통해 우리는 자신의 삶을 향한 하나님의 목적을 깨닫고, 그 목적을 이룰 방법도 알게 된다.

조이스 마이어 | 베스트셀러 작가

종종 생리학적·신경학적 문제를 다루는 전문가들(의사, 과학자)의 생각이 우리의 신앙과 충돌할 때가 많다. 그래서인지 과학과 신앙은 양립할 수 없다고들 말하는 것 같다. 하지만 여기 사람들의 필요를 돌보는 과학자이자 하나님을 사랑하는 신앙인인 캐롤라인 리프 박사가 있다. 그녀의 신간 《하나님이 디자인하신 완전한 나》는 '더 나은 삶'을 향한 밑그림이다. 이 책에서 리프 박사는 어떻게 해야 '완전한 나'를 따라 살 수 있을지, 그 방법을 과학적·철학적·신학적으로 고찰하였다. 새로운 삶을 원하는가? 자신의 삶을 재편하고 싶은가?

이 책을 읽으라. 삶의 변화를 일으킬 기폭제가 될 이 책은 당신에게서 '최상의 나'가 나타나도록 모든 장애물을 제거해 줄 것이다. 이제 세상은 당신의 '최상'을 목격하게 될 것이다.

T. D. 제이크스 & 세리타 제이크스 | 포터하우스 설립자

당신을 위해 하나님이 세우신 '완전한 뜻'은 그야말로 맞춤형이다. 당신이 '완전한 나' 안에서 행한다면, 당신을 향한 그분의 뜻이 온전히 이뤄질 것이다. 이 책은 당신의 참된 가능성을 열어 준다. 당신이 이 책의 지침을 따라 행하여 삶에 적용한다면, 당신의 잠재력은 자유롭게 풀어질 것이다. '완전한 나'의 구조를 알고 그 안에서 살아가는 법을 배우기 시작할 때, 당신은 자신의 '완전한 나'를 발견하게 된다.

캐롤라인 리프 박사는 우리가 하나님의 목적대로 함께 걸으며 상대방의 독특함을 인정하고 기뻐할 때, 우리의 영혼도 함께 기능하여 서로의 '완전한 나'를 풍성하게 해준다고 말한다. 그녀는 열정적인 인지주의자로서 이 같은 하나님의 마음을 보았고, 이것을 양자역학으로 설명해 냈다. '완전한 나'를 따라 살아갈 때, 우리는 변화의 주체가 되어 이 땅에 하나님의 영광을 드러낼 것이다.

에이버리 M. 잭슨 3세 | 미시건 신경외과 연구소 및 광학 척추 유한책임회사 창립 CEO

캐롤라인 리프 박사는 불가능에 가까운 일을 해냈다. 그녀는 신학, 철학, 과학과 관련된 복잡한 이론들을 심도 있게 다루며 추상적인 개념들을 분해·통합하여 혁신적이고 창조적인 '자아 발견' 방법을 제시했다. 이 책은 '자아 발견'(자기개발) 분야에서 두각을 나타내는 참으로 놀라운 기독교 서적이다. 리프 박사가 소개한 UQ 검사와 실습 방안은 빠르게 변화하는 세상 속에서 자신만

의 '완전한 나'를 찾고 기쁨으로 살 수 있도록 힘을 북돋워 준다.

이 책을 읽는 동안 나는 리프 박사의 재능에 놀랐다. 또 나 자신의 '완전한 나'를 찾게 되어 매우 기뻤다. 나는 주변 사람들의 '완전한 나'도 찾기 시작했다. 우리는 리프 박사의 조언을 반복해서 읽고, 자신에 대한 관점을 새롭게 하여 매일 '완전한 나' 안에 머물 수 있다.

브렌다 루 | 동테네시 주립대학 화술·언어 병리학 및 청각학 교수

목차

감사의 글 ••• 5
추천사 ••• 7

서문 ••• 12
머리말 ••• 17

PART I

Chapter 1 큰 그림   27
Chapter 2 '완전한 나'   57
Chapter 3 정체성에 내재한 잠재력을 발견하다   67

PART II

Chapter 4 '완전한 나'의 철학   **97**
Chapter 5 '완전한 나'의 과학   **114**

PART III

Chapter 6 '완전한 나'를 찾아가는 여정   **159**
Chapter 7 불편한 구역   **168**
Chapter 8 '완전한 나' 차트   **200**

에필로그 ••• **205**
주 ••• **209**

서문

　신경과학자와 정신과 의사로 지내온 30여 년 동안, 나는 환자들의 삶은 물론 내 삶도 개선해 줄 방법들을 찾아왔다. 또한 생명을 살리는 데 유용한 도구들이 하루빨리 개발되기를 바랐다. 물론 이 일이 쉽게 이루어지리라고는 생각하지 않았다. 왜냐하면 그러한 도구는 최첨단 신경과학 기술이 집약된 총체적 연구결과물로, 그 실효성이 입증되어야 하기 때문이다. 게다가 영적·정신적·물리적 요소들이 적확하게 배합되어야만 하기 때문에 결코 쉬운 일이 아니다.

　이러한 도구가 개발된다면, 그래서 그 도구를 사용할 수만 있다면, 우리의 마음에는 건강한 사고구조가 구축될 것이다. 우리는 매 순간 사랑 가득한 생각을 선택할 수 있을 것이다. 그러므로 무슨 일을 하든, 항상 건강한 자존감을 드높이게 될 것이다. "나는 할 수 있어!", "자신 있어!" 이렇게 말이다.

　지난 80년 가까이 신경정신과 의사들은 약물치료와 수술에 의존해 왔다. 쉽게 말해 그들은 표면적 증상만을 다루는 대증요법의 신봉자들인 것이다. 그런데 리프 박사는 달랐다. 그녀는 우리 각 사람이 남에게 의존하지 않고 스스로 시행할 수 있는 놀라운 치료도구를 고안해 냈다. 약물이 아니어도 되고, 굳이 수술대에 오르지 않아도 된다. 리프 박사가 고안한 방법을 매일 시행한다면, 사람들은 긍정적인 열매를 거두게 될 것이다.

간단히 말해, 그녀가 고안한 치료법의 원동력은 '사랑'이고, 그 결과물은 '생명'이다. 우리의 마음이 '생명'으로 충만해지면, 이로 인한 생각의 변화는 '뇌 구조'의 변화로까지 이어질 것이다. 최근의 신경과학 연구 결과는 이 책에 담긴 원리들을 견고하게 지지해 주고 있다.

리프 박사가 고안한 '완전한 나'라는 개념은 수많은 철학자들이 여러 세대에 걸쳐 축적해 온 지혜의 기반 위에 서 있다. 오늘날 '완전한 나'의 개념은 과학뿐 아니라 영적·성경적 근거들을 통해서도 그 실효성이 입증되고 있다.

이 책은 각각의 장이 앞에서 다룬 주제를 좀 더 확대·발전시키는 방향으로 전개된다. 그러므로 독자들은 각각의 장을 집중하여 읽어야 한다. 각 장의 내용을 읽고, 반추하고, 열심히 적용해야 다음 장을 이해할 수 있기 때문이다. 그러니 부지런히 읽고, 소화하고, 적용하기 바란다.

리프 박사의 안내를 따라 이 책을 읽어 나가면, 독자들은 하나님께서 디자인해 두신 '나만의 독특한 사고구조', '나만의 독특한 발화(發話) 방법', '나만의 독특한 행동 패턴'을 발견하게 된다. 리프 박사는 이 사실을 이 책의 네 번째 장에 다음과 같이 설명해 두었다. "우리는 이 세상을 향해 하나님의 영광을 발산하도록 창조된 하나님의 걸작이다. 우리는 천국을 이 땅으로 달아 내리도록 지음 받았다."

신경과학자로서 가장 선호하는 장을 고르라면, 나는 주저 않고 5장을 선택하겠다. 그 장에는 30년 넘는 리프 박사의 연구와 임상실험 결과 및 개인적 체험이 고스란히 녹아 있다. 리프 박사는 이러한 연구결과와 경험을 바탕으로 '생각하고 느끼고 선택하는' 방식을 해부학적·생리학적으로 분석하여 설명해 놓았다. 그녀의 설명에는 신경영성학, 신경심리학, 신경생리학, 이 세 가지 학문이 잘 어우러져 있다. 리프 박사의 설명을 들으며 나는 그저 놀랄 따름이다! 그녀의 안내를 따라갈 때, 우리는 하나님께서 예비해 두신 참 자유를 느낄 수 있다.

개인적으로 UQ~Unique Qualitative, 나만의 독특한 자질~ 검사가 매우 인상적이었다. UQ 검사는 내게 큰 도움을 주었다. 쉽게 말해, UQ 검사는 각 사람의 '특성'을 알려 주는 검사 도구이다. 특히 일곱 가지 메타인지 모듈 안에서 개인의 특성이 어떻게 발현되는지를 이해하도록 도와준다.

참고로, UQ 검사는 성격유형을 분류하는 참고자료나 사람의 심리를 분석하여 따져 보는 심리검사가 아니다. 다만, '내가 누구인지'를 이해하는 데 도움을 주는 자료일 뿐이다. 그러므로 여느 심리검사처럼 사람의 성격을 '좋다', '나쁘다'로 규정하여 모호한 '죄책감'을 안기지 않는다.

UQ 검사를 통해 우리는 하늘 아버지께서 '내 안에' 디자인해 두신 '완전한 나'를 발견하게 된다. 하늘 아버지께서는 우리가 '완전한 나'를 향해 한 발자국 더 가까이 나아가기를 바라신다. 그렇게 할 때, 비로소 참된 사랑의 기쁨을 누릴 수 있기 때문이다.

7장에서 리프 박사는 '불편한 구역'에 대해 자세히 설명하였는데, 매우 조심스러운 태도로 접근했다. '불편한 구역'이란 용어가 생소하게 들리겠지만, 쉽게 말해 인간이면 누구나 경험하는 불편한 감정 또는 불안한 감정이 바로 불편한 구역이다. 물론 여기에는 사람마다 차이가 있는데, 리프 박사는 이러한 감정들을 새롭게 조명해 주었다.

하나님의 디자인에 따라 우리의 내면에는 일종의 '경고 시스템'이 장착되어 있다. 하나님의 온전한 뜻대로 살지 못하면, 이 경고 시스템에 의해 우리의 삶에 '불안'과 '불편'이 찾아온다. 이것은 말 그대로 '경고'

이다. 결국 '불편한 구역'은 우리가 정도(완전한 나)를 이탈했음을 알려 주는 경고음인 셈이다.

그러나 이 경고를 제대로 인식하지 못하거나 불편한 감정을 외면한 채 그대로 방치해 둘 경우, 우리의 영혼은 심각한 기능장애를 겪는다. 이러한 문제는 비단 영적 영역에만 국한되지 않고, 심리적·정신적 기능장애, 심지어는 신체적 기능장애로까지 번진다. 오늘날 사람들은 신체적·정신적 질병의 80% 정도가 영적인 문제 때문에 발생한다는 사실을 인식하기 시작했다.

반면, '불편한 구역'의 경고를 올바르게 인식하고 회개하여 성령의 사랑을 받아들일 경우, 우리는 정도(완전한 나)로 복귀한다. 그렇게 '완전한 나'를 향해 발걸음을 옮기는 동안, 하나님께서 값없이 부어 주시는 은혜와 평안을 맛보게 된다. 생명의 특성대로 생명을 체험하는 것이다!

'완전한 나'는 리프 박사가 30년 이상 수행해 온 신경과학 연구의 정수이다. '완전한 나'가 표방하는 계시적 원리는 지금껏 내가 보아온 그 어떤 치료법보다 더 많은 변화를 기대하게 만든다. '완전한 나'는 치료 프로그램이자 (단순한 질병 관리가 아닌) 진정한 건강 유지 방안이다. 리프 박사의 '완전한 나'는 앞으로 내가 시행할 '종합 신경과학 실습(치료)' 방안에 포함될 것이다

'완전한 나'가 제시하는 '삶의 변화 원리'를 일상에 적용할 경우, 우리의 마음이 변화되는 것은 물론, 뇌 구조에까지 변화가 일어날 것이다. 마음과 뇌에 변화가 생기면, 이에 연결된 우리의 신체 시스템 역시 자연스레 변화된다. 선한 변화의 시스템이 역동적으로 작동하기 때문에 우리 몸은 점차 '건강한 방향'으로 개선되어 소화기관, 심혈관계, 면역 기능 등

우리의 몸 상태가 크게 호전될 것이다.

먼저, 나 자신에게 이러한 변화가 일어났다. 또한 '완전한 나'의 원리를 시행한 환자들도 이와 동일한 선순환을 체험하였다. 이들의 변화를 지켜보며 나는 놀라고 또 감탄했다. 신경학자이자 과학자인 나는 환자들의 EEG_{ElectroEncephaloGram, 뇌파도} 분석으로 그들의 뇌 구조에 일어난 양적 변화를 쉽게 관찰할 수 있었는데, 참으로 놀라웠다! 그렇게 나는 우리 안에서 역사하시는 하나님이 진정 영광스런 변화의 주主이심을 확신하게 되었다.

이 책을 끝까지 읽으라. 또 이 책에 담긴 원리를 부지런히 적용해 보라. 참으로 많은 사람들이 변화를 기대하고 있는 지금, 이 책은 그 변화를 체험하도록 도와줄 것이다.

뇌와 신경으로 조직된 개인의 '미시적 우주'의 변화는 땅과 그 위의 사람들로 구성된 '거시적 우주'를 변화시킨다. 우리 모두는 이 땅 위의 사람들을 사랑하고 섬기도록 부름 받았다. 내 몸속 뇌와 신경의 작은 변화가 이 위대한 사명을 수행하도록 도와줄 것이다. 꽤나 고통스럽고 복잡했을 연구 과정을 인내하여 이 귀한 사실을 깨닫게 해준 리프 박사에게 깊이 감사드린다.

로버트 P. 터너 박사
Network Neurology LLC & Network의 CEO
USC 의과대학 소아과 및 신경과 임상교수

머리말

나는 누구인가? 내가 누구인지 말해 줄 사람이 있는가? 나는 눈먼 진화 과정의 결과물인가? 리처드 도킨스의 주장처럼 물질세계 안에서 우연히 발생한 존재인가?[1]

내 삶에 의미가 있을까? 내 삶에 목적이 있을까? 하나님의 계획 속에 나라는 존재가 있을까? 그분의 원대한 계획 중 나라는 존재는 어떤 부분을 차지하고 있을까? 내가 누구인지, 내가 어떤 존재여야 하는지 말해 줄 사람이 있는가? 나는 내가 누구인지 알고 있는가? 당신은 하나님께서 디자인해 놓으신 삶의 목적을 알고 있는가? 하나님께서 당신에게 부여하신 정체성을 가감 없이 수용할 수 있는가?

하나님은 당신이 누구인지 알고 계신다. 또한 당신을 소중하게 여기신다. 무엇보다 하나님은 당신의 '완전한 나'Perfect You를, 당신만의 독특한 사고방식을 중요하게 여기신다!

하나님은 놀라운 설계에 따라 당신을 창조하셨다. 그리고 당신은 그 설계(정체성)에 따라 무언가 중요한 일을 수행할 수 있다. 여기서 중요한 일이란, 생각을 변화시킴으로 자신의 전 존재를 변화시키는 것을 말한다.

우리의 생각이 중요한 까닭은, 생각의 단편들이 뇌 구조를 변화시키기 때문이다. 이것은 현대 신경과학이 우리에게 말해 주는 '사실'이다. 우리는 생각으로 뇌를 변화시켜 자신만의 독특한 정체성을 드러낼 수 있다.

이 책은 '완전한 나'의 기저에 어떤 과학적 원리가 놓여 있는지 알려준다. 독자들은 이 책의 부록에 실린 UQ 검사를 통해 자신만의 독특한 사고구조를 확인하게 될 것이다. UQ 검사 결과를 삶에 적용할 때, 우리는 전과 다른 관점으로 자신을 바라보게 된다.

당신이 '완전한 나'를 이해한다면, 비로소 첫걸음을 뗀 것이다. 이후 '완전한 나'로의 회복 여정이 시작됨과 동시에, 평생 변화되는 삶을 만끽하게 된다. 매일매일 새로워진 자신과 마주하는 것이다! 이러한 발전과 성장은 유기적이며 지속적이기 때문이다. 변화의 목적은 나 자신의 한계를 넘어 참된 삶을 영위하는 것이다.

물론 당신은 자신의 '완전한 나'를 다른 사람과 공유할 수 없다. 또한 다른 사람의 '완전한 나'를 모방할 수도 없다. 당신의 '완전한 나'는 당신만의 독특한 자아를 드러내 주는 청사진이기 때문이다.

그러나 만일 그 청사진이 무언가에 갇혀 있다면, 당신은 '완전한 나'에 다다를 수 없다. 또 자신의 청사진을 제대로 이해하지 못하면, 다시 말해 '완전한 나'를 온전히 깨닫지 못하면, 당신은 삶의 가치와 의미를 발견할 수 없고 하나님께서 부여하신 본연의 목적대로 살아갈 수 없다.

하나님께서는 당신이 모태에서 조성되기 전부터 당신을 아셨다(렘 1:5). 당신을 지으신 하나님이 사랑의 본체이시기에, 처음부터 당신은 사랑에 연결되어 있었다(요일 4:8). 당신은 하나님의 형상대로 지어졌다(창 1:27). 그래서 처음부터 사랑에 중독된 상태였다. 하나님은 당신을 이끌어 사랑 가득한 삶으로 인도하셨다(마 4:18-22).

철학자 키스 워드는 다음과 같이 말했다.

이 세상은 가치 있는 경험을 소유한 유한한 영혼들의 세계이다. 인간은 유한하다. 하지만 그를 창조한 초월자는 제한 없는 의식과 무한한 가치를 지닌 존재이다. 인간은 비록 유한하지만, 이러한 초월자 안에서 살아간다.

그렇다면, 인간의 삶을 '낡아빠진 기계 안에서 깜빡거리다가 아예 소멸되는 의식' 정도로 치부해선 안 될 것이다. 인간은 초월자 안에 거하기 때문에, 광대한 의식과 창조 목적을 지닌 상태로 살아간다. 물론, 인간은 어디까지나 유한한 존재이다. 그래서 인간의 의식이 무한하게 확장해 나가는 것은 아니다. 그럼에도 인간이 초월자 안에 거하기 때문에 그의 의식은 점점 확장된다. 따라서 우리는 인간을 '소멸하는 의식'이 아닌 '발전해 가는 의식'으로 정의할 수 있다.

인간에게 내재한 본연의 목적은 '사랑'이다. 인간은 사랑에 대한 갈망이 충족된 복된 상태에서 초월자와의 연합을 체험한다. 이것이 초월자가 인간에게 부여한 '삶의 목적'이다.[2]

대부분의 사람들은 이 땅의 것들을 갈망하기 때문에 물욕의 충족을 복으로 여긴다. 그러나 하나님을 떠난 상태에서 물질을 추구한다면, 그것은 복이 아니라 저주이다. 물질계는 사랑이신 하나님과 동떨어진 채 존재할 수 없다. 그러므로 하나님 없이 물질만 추구한다면, 그 자체로 저주인 것이다. 그러나 자신의 참된 정체성을 깨달은 사람은 자신의 모습 속에 녹아 있는 하나님의 형상을 본다. 이처럼 물질계는 하나님과 떨어져 존재할 수 없다. 우리는 단 한순간도 하나님을 떠나 살 수 없다.

뿐만 아니라 하나님의 본질 자체가 사랑이시므로, 그분과 함께 살아가는 우리는 사랑을 비춰 낸다. 우리는 이 세상을 향해 하나님의 사랑을 투사하도록 특별하게 지음 받았다. 이것은 과학과 성경 모두가 인정하는 사실이다. 그러나 하나님의 영광이 자신에게 내재한다는 사실을 알지 못한다면, 어떻게 그 영광을 발산할 수 있겠는가?

성경에는 하나님의 영광을 발산하며 살아간 사람들의 이야기가 수두룩하다. 아브라함과 다니엘을 보라. 그들은 매 순간 '하나님의 디자인대로 살아가리라' 다짐했다. 두 사람 모두 '완전한 나'로서 살아간 것이다 (창 12-15장, 단 6장). 당신도 이와 동일한 다짐을 할 수 있다.

당신에게 묻겠다. 그동안 갇혀 있던 '완전한 나'를 풀어내어 하나님의 디자인대로 살기 원하는가? 이에 대해 "글쎄요. 저는 제가 누구인지 모릅니다"가 솔직한 대답일지도 모른다. 하지만 당신은 이미 자신의 정체를 알고 있다! 왜냐하면 정체성은 생각과 말과 행동으로 나타나기 때문이다. 아무리 감추려 해도 당신의 생각과 말과 행동은 당신의 참 자아를 반영하기 마련이다. 그러므로 당신은 자신의 정체를 안다!

연구를 통해 밝혀진 바에 따르면, 우리의 생각이 유전자 발현에 영향을 미친다. 우리가 품은 생각은 독특한 처리 과정을 거쳐 유전자 발현을 일으키고, 이에 새로운 단백질이 형성되어 우리의 몸이 변화된다. 쉽게 말해, 생각이 몸을 변화시키는 것이다.

하나님의 '아름다운 생각'을 통해 당신이라는 존재가 모태에서 형성되었다. 그리고 하나님의 생각을 닮은 당신의 마음속 생각이 이 세상에 둘도 없는 '완전한 나'를 만들어 냈다. 그것이 당신의 '완전한 나'이다. 하나님은 당신에게 '영원을 사모하는 마음'을 주셨다(전 3:11).

그러나 성장하는 동안 당신은 자신의 정체성을 억눌러 왔다. 자신의 삶을 부정적으로 바라볼 때 우리의 정체성이 억눌리는데, 이때 '완전한 나'를 잃는 것이다. 그동안 우리는 '과거의 나는 어디에 있었는가', 또 '현재의 나는 어디에 있는가'로 자신의 자아를 정의해 왔다. 그러나 우리의 정체성은 '미래의 내가 어디에 있을 것인가'로 정의된다는 것을 반드시 기억하라!

뼛속까지 깊이 숨어 있는 자아를 찾기란, 그리 쉬운 일이 아니다. 그렇기 때문에 참된 자아를 찾는 여정에 앞서 단단히 각오해야 할 것이다. 그 과정은 기나긴 항해와 같다. 여기에서 가장 중요한 것은 태도이다. 당신이 어떤 태도로 이 항해에 임하느냐에 따라 결과가 달라질 것이다. 그리고 이 여정은 입이 쩍 벌어지는 놀라운 선물이 될 수도 있다!

'완전한 나'에게 더 가까이 다가갈수록 당신의 지혜는 더욱 풍성해진다. 지혜가 깊고 풍성해질수록 하나님의 사랑을 만끽하는 능력 또한 깊어진다. 그러므로 '완전한 나'를 회복하면, 당신은 고통과 아픔으로 신음하는 세상을 향해 하나님의 사랑을 더 많이 발산하게 될 것이다.

'완전한 나'를 찾아가는 여정은 우리를 겸손하게 만든다. '완전한 나'를 발견한 사람은 결코 교만해질 수 없다! 뉴욕타임즈의 칼럼니스트인 데이비드 브룩스가 말했다. "겸손은 낮은 자존감이 아니라 낮은 자기중심성이다."[3]

무엇을 생각하든, 가장 많은 시간을 들인 그 생각이 '나'를 빚는다. 만일 당신이 자기 잘난 맛에 취한 채 대부분의 시간을 허비한다면, 또는 당면한 문제에 골몰하여 오직 나만 생각한다면, 그렇게 자신만 생각하면서 염려와 걱정으로 시간을 채운다면, 어떻게 되겠는가? 얼마 안 있어 당신은 자기 자신의 우상이 될 것이다. 우월감으로 표현되든 열등감으로 표현되든, 이러한 자기중심적 사고는 교만의 죄로 이어지기 때문에 우리의 영적 건강을 해친다. 신체적 건강을 해치는 것은 말할 것도 없다.

이 세상은 어느 한 사람을 중심으로 돌아가지 않는다. 당신은 이 세상이 '나'를 위해 존재한다고 생각하는가? 혹은 나를 중심으로 이 세상의 일들이 돌아간다고 생각하는가? 당신의 착각과 달리, 하나님은 타인을 섬기고 사랑하도록 당신을 지으셨다. 그리스도께서 그렇게 하셨던 것처럼, 당신 또한 남을 섬기고 사랑해야 한다. 사실, 자신의 문제를 극복하는 최상의 방법은 고민하고 염려하고 근심하는 것이 아니라 밖으로 나가서 남을 돕는 것이다! 당면한 문제를 해결하기 위해 골몰하는 대신 그 문제와 아무 상관없는 타인을 도울 때, 문제가 해결될 것이다.

'완전한 나'를 풀어내고 하나님의 청사진대로 살기로 선택하는 것은 어디까지나 당신의 몫이다. 당신이 '완전한 나'에 가까워질수록 다음과 같은 변화가 일어날 것이다.

- 당신의 삶과 주변 사람들의 삶에 더 많은 기적이 일어나는 것을 목격할 것이다. 당신이 기적을 활성화시키는 것이다.
- 당신은 더욱 똑똑해질 것이다. 왜냐하면 '완전한 나'와 지적 능력이 연결되어 있기 때문이다.
- 당신의 은사와 기술과 재능이 발전을 거듭할 것이다.
- 당신의 대인관계 역시 개선될 것이다.
- 당신의 정신건강이 증진될 것이다.
- 당신의 신체건강 역시 증진될 것이다.
- 당신은 삶 속에서 더 많은 기쁨을 얻게 될 것이다.

- 당신은 하나님의 눈으로 사람들을 바라보게 될 것이다.
- 당신은 더욱 겸손해질 것이다. 왜냐하면 당신 안에 계시는 하나님의 광대하심을 깨닫기 때문이다.
- 당신 자신에 대한 이해는 물론 타인에 대한 이해 역시 깊어질 것이다.
- 이웃을 이해하고 도우려는 갈망이 더욱 깊어질 것이다.
- 남을 시기하고 질투하는 대신 그들의 기쁨에 더 많이 동참하게 될 것이다.

하나님 없이 자아를 찾으려 할 때, 사람들은 혼란을 느낀다. 그러나 하나님과 함께 이 여정을 시작한다면, 혼란 대신 확신을 얻을 것이다. 하나님이 디자인하신 '완전한 나'에 가까이 다가갈수록 하나님 나라 안에 거하는 자신의 모습을 선명하게 볼 것이다. 그리고 거기서 삶의 목적과 자신이 해야 할 일들을 발견하게 될 것이다.

소크라테스가 말했다. "감찰하지 않은 인생은 살 가치가 없다." 이 책은 당신의 생각을 감찰할 도구이자 '완전한 나'를 해방시켜 줄 도우미이다.

예수님께서 당신의 이름을 부르시며 "하나님 나라를 세우는 일에 동참하라"고 말씀하실 때, 당신은 어떻게 대답하겠는가? 걱정하지 말라. 이 책이 당신을 도와줄 것이다.

이 책은 하나님이 주신 재능을 마음껏 펼치도록 도와줄 것이다. 또한 그 재능을 배가시켜 줄 것이다(마 25:14-30). 하나님의 형상을 닮은 당신은 그분의 영광을 발산하고, 하늘의 은사를 활용하며, 천국을 이 땅으로 끌어 내릴 것이다. 이러한 삶이야말로 진정 가치 있는 삶 아닌가?

PART I

THE
PERFECT
YOU

Chapter 1

큰 그림

> 인간의 본성은 그를 둘러싼 외적 요인에 굴하지 않고 성장을 거듭한다. 이것은 참된 인간이 지닌 특징이다.
>
> **— 제프리 리프, 작가**

어느 날 아침, 아들과 나는 문학에 대해 진지하게 이야기를 나누었다. 아들은 문학 작품이 자신에게 어떤 감흥을 주는지 이야기했다. 또 자신이 어떤 관점으로 세상을 바라보는지도 말해 주었다.

마침 그때, 바람이 불어왔다. 아들이 말했다. "엄마, 지금 바람이 부네요. 바람이 제 얼굴에 닿을 때, 바람만이 줄 수 있는 특별한 감정들이 마음에 차올라요. 곧 이어 제 머릿속에서는 수많은 단어와 문장들이 솟구쳐요. 그 순간, 마치 시간이 멈춘 듯 저는 다른 세상으로 빨려 들어가요. 그 상태로 얼마나 많은 시간이 흐르는지 몰라요! 결코 헤어날 수 없는 기쁨이에요."

이후 아들은 나에 대해 자신이 알고 있는 바를 말했는데, 나는 그 말을 부인할 수 없었다. "하지만 엄마는 바람이 불어올 때, 두뇌의 양자 운동에 대해 생각하시죠? 바람과 연계된 과거의 슬픈 기억이 떠올라 유해한 선택을 할 경우, 그로 인해 우리 몸에 어떤 참사가 일어날지 생각하시고, 또 그러한 선택이 가져다줄 물리적 충격도 계산하시겠죠? 바람에 나부끼다 떨어지는 낙엽처럼, 메타인지 영역이 무너질 가능성을 염려하실 수도 있겠네요. 저와 엄마는 정말 다른 것 같아요."

아들과 나눈 이 짧은 대화는 지난 30여 년간 내가 수행해 온 연구 주제를, 또 수많은 철학자들이 오랫동안 품어 왔던 질문의 요지를 잘 설명해 준다. 이 대화의 기저에는 다음과 같이 답하기 까다로운 질문이 자리하고 있다. "주관적이고 의식적인 경험이란 무엇인가?" "왜 인간은 동일한 실체를 두고도 서로 다르게 인식하며 반응하는가?" 예술가들의 말을 빌려 이 질문을 바꿔 보면 다음과 같다. "우리 모두는 동일한 인생이라는 물감을 갖고 살아가는데, 각자가 그리는 그림은 왜 이토록 다른가?"

그날 아침, 아들과 나는 바람이 지닌 특질을 각자의 방법대로 인식했다. 좀 더 정확히 말하자면, 바람이 주는 동일 감각 자극에 아들과 나는 서로 다른 방식으로 반응했다.[1] 이처럼 동일한 자극에도 사람마다 다르게 반응하는 까닭은 하나님께서 한 사람 한 사람을 창조하실 때마다 서로 다른 디자인(청사진)을 참조하셨기 때문이다. 하나님께서 당신만을 위해 고안해 내신 독특한 청사진이 있는데, 그것이 바로 '완전한 나'이다.

경험은 어떤 느낌일까?

경험(느낌)은 그야말로 '추상'이다. 그날 아침, 바람이 불어 왔고, 나는 바람을 느꼈다. 바람이 불어온 사건은 내게 하나의 경험이 되었다. 바꿔 말하면, 바람이 내게 무언가 특별한 일을 해준 것이다.

물론 그 경험은 나만의 것이고, 지극히 추상적이다. 그 경험은 나의 '전유'專有이다. 동일한 바람을 쐬었지만, 내 경험과 아들의 경험은 다르다. 아니, 도무지 같을 수 없다! 동일한 바람이지만, 어떤 사람은 "와! 바람이 불어 좋네. 아름답다!"라며 감탄한다. 그러나 어떤 사람은 과거, 바람이 불던 날 일어났던 사건을 되뇌며 복잡한 심경을 드러낼 수도 있다.

내 아들의 경우, 바람에 나부끼는 나뭇잎을 보며 안정과 평안을 느꼈다고 한다. 이처럼 그에게는 바람을 쐬는 일이 일종의 초월적 경험이었다. 그러나 그 동일한 바람을 쐰 순간, 나는 '유해물질이 바람에 씻겨 생각이 해독되고, 뇌가 변화되는 과정'을 떠올렸다. 내게 바람은 '두뇌 해독 과정'의 비유였던 셈이다.

당신은 '완전한 나'를 느껴 본 적이 있는가? 일단, '완전한 나'가 무엇인지 모르겠다면 '건강한 경험'을 떠올려 보라. 그 전에, 건강한 경험부터 정의해야 할 것이다. 얼른 드는 생각에, 건강한 경험은 과거의 좋았던 일이나 행복한 추억을 말하는 것 같다. 하지만 행복한 추억은 건강한 경험을 제대로 설명하는 표현이 아니다. 한 마디로 건강한 경험이란, 내게 일어난 사건에 대한 건강한 반응이다. 즉, 어떤 일이 일어나든, 내 주변 환경이 어떻든 상관없이, 그 모든 일에 건강한 태도로 반응했던 경험이 바로 건강한 경험이다.

만일 당신에게 이 같은 경험이 있다면, '완전한 나'를 이해하기가 쉬울 것이다. 왜냐하면 건강한 태도로 반응했던 그때, 당신은 '완전한 나'의 상태였을 것이기 때문이다. 정리하자면, 건강한 경험은 '완전한 나'의 필터로 걸러낸 태도(생각, 감정, 느낌의 조합)이다. '완전한 나'의 필터로 사건과 환경을 해석하고, 그에 따라 반응하는 것을 가리켜 '건강한 경험'이라고 한다.

그런데 태도가 오랜 기간 반복되면, 즉, 생각, 감정, 느낌 등이 오랜 기간 반복될 경우, 태도는 장기 기억으로 전환된다. 그리고 동일한 생각, 감정, 느낌이 반복될 때, 이것들이 장기 기억으로 전환되는 과정은 가히 자동적이다.

어떤 사람에게 이런 식으로 형성된 장기 기억이 있다고 하자. 그리고 그에게 특정한 자극이 주어진다고 하자. 이를테면 바람이 불어오는 것을 예로 들 수 있다. 이제 그 자극은 그의 마음속 장기 기억과 상호 교류하여 새로운 경험을 만들어 낸다. 예를 들어, 바람 부는 날에 기분 좋은 일을 겪은 사람이 있다고 하자. 그리고 그에게 이 같은 일이 몇 차례 더 반복되었다고 하자. 이제 그 경험은 그의 마음속에서 '장기 기억'으로 자리 잡는다. 그런데 또 다시 바람이 불어온다면, 그의 마음에는 왠지 모를 기쁜 감정이 새롭게 일어난다. 정확하게 말하면, 해당 자극과 연계된 장기 기억이 이 새로운 경험(기쁨)을 만들어 의식(인지)의 장소로 가져간 것이다. 종종 우리는 특정 사안에 대해 "난 이렇게 생각해", "난 이렇게 느껴", "이것이 내가 내린 결론이야"라고 말하는데, 그것은 이런 이유에서이다.

살면서 겪는 사건이나 마음속에 떠오르는 생각들은 모두 자극이다. 이러한 자극에 의해 장기 기억이 활성화되고, 장기 기억에 연계된 감정들은 용솟음친다. 그런데 이것은 오직 그 사람에게만 독점적으로 일어나는 일이다. 즉, 여러 사람이 동일한 자극을 받더라도, 각자의 경험은 제각각이다. 누구도 나와 똑같은 경험을 소유하지 못한다! 이러한 사실은 각 사람의 정체성이 독특하다는 사실을 방증해 준다.

지금까지 설명한 대로 '완전한 나'는 필터와 같다. 그런데 그 필터가 낮은 자존감이나 유해한 생각의 틀에 갇힌다면, 당신은 진정한 자아를 찾을 수 없다. 누구나 낮은 자존감의 문제를 겪어 보았거나 현재 겪고 있을 것이다. '내가 아는 나'와 '점점 다르게 변해 가는 현실의 나'는 항상 대립각을 세우는데, 이 치열한 싸움이 우리의 내면 깊은 곳에서 일어나고 있다. '완전한 나'의 궤도를 이탈할 때, 우리는 갈등하고 좌절하며 불행하다고 느낀다. 심할 경우 일시적으로 지적 능력이 감퇴하기도 하는데, 이를 방치해 두면 심각한 정신질환으로 이어질 수 있다.

'완전한 나'는 오직 '사랑'이라는 환경 안에서만 올바르게 작동한다. 혹 당신의 '완전한 나'가 낮은 자존감이나 유해한 생각의 틀에 갇혀 있다면, 다음의 사실을 마음에 새기라. '완전한 나'를 옥죄는 사슬은 오직 사랑으로만 깨뜨릴 수 있다! 사랑은 우리 몸속 75-100조 개의 세포를 근본적으로 변화시킨다. 사랑이 우리에게 용기를 북돋워 줄 때, '완전한 나'를 옥죄던 사슬은 끊어질 것이다.

본질 자체가 사랑이신 하나님께 초점을 맞추라. 그 하나님께서 나에게 하신 말씀에만 귀를 기울이라. 하나님이 말씀해 주신 나의 정체를 가감 없이 수용하라. 그러면 당신은 자신만의 독특한 정체를 올바르게 인식하고, 하나님 안에서 자신이 누구인지 깨닫게 된다(요일 4:8). 이것이 진정한 '자아 발견'이다. 우리는 하나님의 사랑과 능력, 그리고 하나님의 마음(건강한 마음)을 지녔다(딤후 1:7).

우리가 생각하고 느끼고 선택하는 과정

지난 30년간 나는 '건강한 마음'(절제하는 마음, 딤후 1:7)을 설명해 줄 이론적·개념적 모델을 연구·개발하고 발전시키기 위해 노력했다. 그렇게 만들어낸 모델을 나는 '측지(최단선) 정보처리 모델'이라고 부른다.[2] 이 모델은 우리가 어떤 과정을 거쳐('완전한 나'라는 필터를 통해) 독특하게 생각하고, 느끼고, 선택하는지 설명해 준다. 그리고 생각, 느낌, 선택의 결과 우리의 뇌와 행동양식이 어떻게 변하는지, 그 인과관계도 설명해 준다.

좀 더 자세하게 살펴보자. 오감을 통해 유입되는 외부 자극 및 기억이나 생각 등의 내부 자극이 발생하면, 정보처리 과정 중 입력 단계가 시작된다. 이후 일정한 처리 과정을 거쳐 결과물이 출력되는데, 측지 정보처리 모델은 입력 단계부터 출력 단계에 이르는 전체 정보처리 과정(진지한 사고방식을 사용하는 정보처리 경로)을 추적하는 모델이다.

측지 정보처리 모델 이론은 이 책의 근간을 이루고 있다. 헨리 스태프는 생각과 뇌의 관계를 설명하기 위해 양자물리학 이론을 한 단계 더 발전시켰고, 나는 그의 양자물리학 이론을 적용하여 측지 정보처리 모델을 한 단계 더 발전시켰다. 그렇게 업그레이드한 측지 정보처리 모델의 최신 버전을 이 책 124쪽에 실었다.[3]

신경과학에서 '측지' 문자적 의미는 '두 지점 간의 최단거리'이다 - 역자 주 라는 말은 학습 및 사고 등의 두뇌 활동에 대한 총체적·종합적 접근법을 대변해 준다. 우리 각 사람에게서 개성이 나타나는 까닭은 모든 것을 아우르는 양자의 본질 때문이다. 측지 모델은 이러한 양자의 본질을 다룬다. 그러므로 이 모델은 고전물리학 모델과 다르다. 고전 모델은 인간의 행동과 인지 영역만을 다루기 때문에 '완전한 나'의 독특성을 설명할 수 없었다. 고전 모델은 극히 제한적인 모델이기 때문에 각 사람의 생각, 느낌, 선택이 뇌 구조와 신체에 어떤 변화를 일으키는지, 그 연계성을 설명하지도 못한다. 그러므로 나는 '생각과 뇌의 연계'라는 형이상학적 개념을 구체화하기 위해 측지 모델을 고안했다. 물론 '완전한 나'의 독특성을 설명하는 것 또한 이 모델을 개발한 이유이다.

측지 모델에서 생각은 무의식과 의식으로 나뉜다. 그런데 '완전한 나'가 위치하는 곳은 무의식이다. '완전한 나'는 무의식의 영역에 내재한다. 우리는 무의식에 내재한 '완전한 나'를 살펴보기 위해 UQ 검사를 시행할 것인데, 이것은 별책 부록을 참고하라.

측지 모델은 일련의 정보들이 '깊은 생각'이나 일부러 무언가를 떠올리거나 골똘히 생각하는 '의도적인 사고'를 통해 어떻게 처리되는지 그 과정 전반을 보여 준다. 또한 그 결과, 우리의 뇌에 어떤 변화가 생기는지도 보여 준다.

자신만의 독특한 방식으로 삶을 해석하는 우리 각 사람은 자신의 감정과 행동 변화에 대해 스스로 책임져야 한다. 왜냐하면 인생을 바라보는 태도에 따라 우리의 감정과 행동이 결정되기 때문이다. 그뿐만이 아니다. 우리의 태도는 우리의 뇌 안에 변화의 흔적을 남긴다.

이런 식의 인지신경과학 접근법은 양자물리학과 궤를 같이 한다. 양자물리학은 나만의 독특하고 복잡한 사고방식이 나의 감정과 행동과 지적 능력에 변화를 일으키고, 그 결과 두뇌와 신체에 구조적 변화가 일어난다는 입장이다.

이 책에서 나는 양자물리학을 사용하여 인간의 생각이 무의식과 의식의 영역에서 각각 어떤 역할을 하는지 설명하였다. 양자물리학 이론을 빌려 '생각과 뇌의 연계성'을 설명하는 방법은 단지 뇌의 활동과 인지 능력의 관계만을 따지는 전통적인 방법과 대조된다. 헨리 스태프와 제프리 슈워츠의 주장대로 대뇌 피질의 복잡한 기능이 생각과 뇌의 연계에 어떻게 관여하는지는 오직 양자물리학만이 설명해 줄 수 있다. 양자물리학이라는 틀 안에서 생각과 뇌의 연계성을 살필 때, 우리는 '완전한 나'(나만의 생각, 느낌, 선택)가 인간의 신체와 행동 양식에 어떤 영향을 주는지 이해할 수 있다. 참고로 헨리 스태프는 이러한 방법을 일컬어 '정신-신체 기능'이라고 하였다.[4]

마음이 뇌를 통제한다

우리의 마음이 뇌 구조를 변화시킨다. 이 개념을 이해하는 것은 매우 중요하다. 왜냐하면 우리가 아는 바와 달리, 마음은 뇌와 분리되어 있기 때문이다. 게다가 당신의 뇌가 당신의 마음을 좌지우지하는 것이 아니라 당신의 마음이 당신의 뇌를 통제한다! 다시 한 번 말하지만, 뇌가 당신의 생각을 통제하는 것이 아니라 생각이 당신의 뇌를 통제한다!

지금껏 당신은 생각으로 자신의 뇌 구조를 변화시켜 왔다. 당신이 그것을 인지하든, 인지하지 못하든 상관없다. 뇌가 스스로 변화된 것이 아니라 당신의 생각이 당신의 뇌를 변화시켜 왔다.

당신이 무언가를 생각하고 느끼고 선택할 때, 당신의 경험이 업데이트된다. 그리고 업데이트된 경험은 당신의 뇌에 구조적·기능적 변화를

야기한다. 말하자면, 당신의 뇌 속에 기억이란 블록을 쌓아 올리는 것이다. 뇌에 생긴 구조적·기능적 변화는 생각, 느낌, 선택의 경험, 즉 기억을 반영하고 있다.

게다가 당신의 뇌는 생각뿐 아니라 행동에도 반응한다. 뇌가 행동을 지시하기도 하지만, 행동이 뇌에 영향을 주기도 한다. 그러므로 우리가 말하는 방식과 행동하는 양식과 지적 능력을 개선한다면, 우리의 마음이 개선될 것이다. 그리고 마음의 개선은 뇌 구조의 변화로 이어질 것이다. 이제 뇌의 개선과 변화는 다시금 말과 행동으로 표출되는데, 이때 말과 행동은 이전보다 나아진 형태이다. 태도의 변화가 마음을 변화시키고, 마음의 변화가 두뇌를 변화시키며, 두뇌의 변화가 태도를 변화시킨다는 뜻이다. 그야말로 개선에 개선을 거듭하는 선순환이다.

이런 식으로 뇌를 다루는 접근법은 과학계에서는 비교적 새롭다. 석사학위 연구를 시작했던 1980년대 중반, 나는 이렇게 자문하곤 했다. "생각이 뇌를 변화시킬 수도 있지 않나?" 그때만 해도 이런 질문은 비웃음의 대상이었다.

당시 내가 돌보았던 뇌손상 환자들이나 내가 가르쳤던 학습장애 아동들은 소위 뛰어넘지 못할 물리적 장벽에 부딪힌 상태였다. 그렇다고 마냥 장벽 앞에 서서 낙담할 수만은 없었다. 나는 '생각이 뇌를 변화시킬 수도 있다'는 가능성을 붙들고 그들과 함께 긍정적인 사고를 품기 시작했다. 그 결과 환자들에게서는 기적에 가까울 만큼 놀라운 변화가 나타났다.

나는 목소리를 내지 못하거나 언어 습득이 느리거나 말을 잘 하지 못하는 환자, 학습장애를 앓는 환자, 외상성 뇌손상 환자, 인지장애 환자, 실어증 환자, 뇌졸중 환자, 심장마비로 인해 뇌손상을 입은 환자, 뇌병변 뇌성마비 환자, 자폐 환자, 감정조절 장애 환자, 트라우마 환자 등[5] 뇌와 관련된 문제로 고생하는 거의 모든 종류의 환자들을 돌보았다.

나는 먼저 내가 개발한 '생각하는 방법'을 외상성 뇌손상 환자들에게 적용해 보았는데, 결과는 매우 놀라웠다. 그들의 인지능력, 행동능력, 학습능력, 지적 능력이 크게 개선된 것이다. 단지 생각을 바꾸었을 뿐인데, 뇌의 물리적 구조가 변화되었다. 그들의 행동 양식이 변한 것은 그들의 뇌 구조가 변화되었다는 명백한 증거였다. 그렇다. "생각이 뇌를 변화시킬 수도 있다!"

이후 나는 여러 다른 환자에게도 이 방법을 그대로 시행해 보았는데, 역시나 결과는 놀라웠다. 그들에게서도 긍정적인 변화가 나타났다. 심지어 상태가 가장 심각한 환자에게서도 개선에 개선을 거듭하는 선순환 패턴이 나타났다.

환자들이 의식적으로 '생각하는 방법'을 오랜 기간 반복적으로 시행했을 때, 그에 따른 개선과 변화는 이 방법을 시행하지 않을 때와 비교하여 35~75% 정도로 높게 나타났다. 나는 선진국에서도 이 방법을 시행해 보았고, 빈곤 지역에서도 시행해 보았다. 미국에서도, 그리고 25년간 남아프리카의 빈곤 지역에서도 이 방법으로 실험해 보았다. 경제적 스펙트럼의 양 극단에 속한 사람들을 대상으로 실험해 본 것이다. 그 결과, 굳은 의지를 품고 건강한 태도와 긍정적 사고를 견지했던 성인 및 어린 학생 그룹에서 인지, 감정, 행동의 개선과 변화가 뚜렷이 나타났다.

그중 한 아이의 놀라운 사례를 결코 잊지 못한다. 그 환자는 열여섯 살 소녀였는데, 끔찍한 교통사고로 심각한 외상성 뇌손상을 입었다. 사고 후 아이는 2주간 혼수 상태였다가 다행히 의식이 돌아오긴 했지만, 모든 것이 달라져 있었다. 또래의 친구들은 고등학교 2학년 수준의 지능을 가진 반면, 아이의 지능은 초등학교 4학년 수준으로 떨어졌기 때문이다. 나는 이 학생의 부모에게 내가 개발한 '생각 주도 5단계 학습과정'을 소개한 후 동의를 얻어 일대일 치료를 시행했다. 아이는 본인의 연령대에 해당하는 학과 과정을 따라잡기로 굳게 결심했다. 그리고 나는 이 학생을 믿어 주었다. 사고 전, 아이가 배운 학과 과정을 빠른 시일 내에 재학습하여 완벽하게 숙지할 것이라 믿고 용기를 북돋워 준 것이다.

그렇게 이 방법을 시행한 지 8개월이 지난 후 말 그대로 기적이 일어났다. 아이는 12학년(고3) 전 과정을 제때에 마쳤다. 또래 친구들과 함께 고등학교를 졸업했고, 대학에도 진학했다. 더 놀라운 것은 IQ 지능지수가 사고 이전보다 20이나 더 높아졌다는 것이다. 전반적인 학업 수행 능력도 사고 이전보다 크게 향상되었다. 나는 이 아이의 사례를 정리하여 문서화한 후, 석사학위 논문에 게재했다.[6]

그동안의 학계 보고에 의하면, 외상성 뇌손상 환자는 이와 정반대의 양상을 보여야 정상이다. 통계치만 보더라도 이 아이의 사례는 매우 이례적이고 비정상적이다. 한 번 생각해 보라. 아이가 겪은 증상은 외상성 뇌손상이다! 대부분의 경우, 외상성 뇌손상이면 뇌 기능과 함께 지적 능력, 신체 능력이 악순환의 늪에 빠졌어야 옳다. 모든 상황이 점점 더 안 좋아져야 정상이다. 그러나 단지 생각 하나만을 바꾸었을 뿐인데, 이 모든 악순환의 고리가 끊어지고 선순환의 구조로 전환되었으니, 그야말로 기적이다. 이런 것을 가리켜 진정한 의미의 '비정상'이라고 하는 것 아닌가?

그뿐만이 아니다. 아이의 감정 능력, 자기만족도, 자아성찰 능력 모두

향상되었다. 치료 기간 중 감성 영역은 직접 다루지 않았는데도 말이다. 아마도 생각의 변화가 아이의 감성에 간접적인 영향을 주었던 모양이다. 이처럼 생각의 변화는 아이의 지성은 물론 감성까지 변화시켰다.

아이가 생각을 통제하기 시작하자 오랫동안 굳어졌던 사고패턴이 바뀌었다. 참으로 놀라운 일이었지만, 내게는 예상했던 결과였다. 왜냐하면 성경을 사랑하는 크리스천으로서 이 사실을 이미 알고 있었기 때문이다(롬 12:2, 고후 10:3-5, 빌 4:6-8 참고). 신약성경에 '회개'로 번역된 헬라어 원어의 의미는 '생각을 바꾸다'이다!

당신의 뇌는 변화될 수 있다

1980년대, 수많은 과학자들은 '한 번 손상된 뇌는 결코 회복되지 않는다'고 믿었다. 손상된 뇌는 '회복 불가' 판정을 받기 때문에 뇌 치료의 목적은 어디까지나 현상 유지였지 회복이 아니었다. 그러므로 당시 뇌 전문가들이나 정신의학계 종사자들은 환자가 현상 유지만 하더라도 치료에 성공했노라 떠들어댔다. 온전한 회복은 어디까지나 논외였다.

그러다가 PET 스캔 양전자 방사 단층 촬영, MRI 자기 공명 영상, fMRI 기능적 자기 공명 영상와 같은 두뇌 촬영 기법이 새로 개발되자 양상은 크게 달라졌다. 일단 기억과 인식에 대한 과학적 이해가 달라졌다.

이러한 기술적 진보 덕에 우리는 살아 움직이는 뇌를 관찰할 수 있게 되었다. 그리고 인간이 다양한 활동을 수행할 때, 뇌의 어느 부위가 활성화되는지도 알게 되었다. 뇌 문제를 진단하는 방법도 개선되었다. 이에 따라 불필요한 수술을 시행하는 위험성 역시 줄어들었다. 나의 가장 친한 친구 중 신경외과 의사들이 많은데, 그들은 특수촬영기법으로 관찰한 뇌가 얼마나 신비롭고 아름다운지, 살아 움직이는 뇌를 볼 때마다 겸손해질 수밖에 없다고 말한다.

사실 뇌 촬영 기술의 진보를 통해 우리가 얻은 최고의 유익은 '신경가소성'의 발견이다. 신경가소성이란, 생각의 자극에 의해 뇌가 새롭게 변화된다는 의미의 용어이다. 이처럼 우리의 뇌에는 변화의 능력이 내재되어 있다. '신경 발생'(날마다 새로운 신경세포들이 생겨나는 현상), 양자물리학, 그리고 신경가소성은 생각의 변화에 따라 뇌 구조가 변화되는 메커니즘을 잘 설명해 준다. 신경가소성은 나의 연구결과를 더욱 빛내준 도구이자 과학계가 기뻐할 선물이기도 하다.

스캔 사진을 과도하게 강조하는 것은 문제다

그러나 뇌 촬영 기법이 인간의 의식에 대한 정확한 정보를 주지는 못한다. 그러므로 뇌 스캔을 신뢰할 만한 도구, 상세한 도구라고 생각해서는 안 된다. 슈워츠가 지적한 대로, 그렇게 생각하는 것은 위험하다.

가장 상세한 fMRI 사진이라도 인지나 지각의 물리적 요소, 그 이상을 보여 주지는 못한다. 스캔 사진으로 볼 수 있는 것은 뇌를 구성하는 물리적 요소(뇌 구조물)일 뿐 그 이상의 무언가를 볼 수는 없다. 그러므로 스캔 사진만으로는 우리의 뇌 속에서 일어나는 일을 알 수 없다. 예를 들어 어떤 사람이 빨간색을 본 후 뇌 스캔 사진을 찍었다고 하자. 그 사진이 뇌의 메커니즘을 설명하는 데 의미가 있으려면, 빨간색을 본 다른 사람들의 뇌 스캔 사진이 첫 번째 사람의 것과 동일해야 한다. 그러나 뇌 스캔 사진은 1인칭으로 체험한 빨간색의 느낌을 제대로 보여 주지 못한다.

혹시 분자 단계까지 뇌의 메커니즘을 연구하면 가능할까? 뇌 속에서 일어나는 분자 단계의 물리적 사건과 정신적 사건의 인과관계를 명확히 추적해 낼 수 있겠는가? 혹 그 인과관계를 추적하는 일이 가능하다면, 마음의 역동 구조는 물론 두뇌의 메커니즘까지 충분히 설명해 낼 수 있을까?

그러나 얼마 안 있어 이러한 생각이 잘못되었다는 사실을 깨달을 것이다. 뇌 스캔만으로는 뇌의 메커니즘을 완벽하게 설명할 수 없다. 그래도 뇌 스캔을 신봉하고 싶은가? 그렇다면 실상의 한계 앞에서 당신은 "아직 '뉴런 덩어리'(의식)가 형성되지 않아서 그런 거야"라고 말할 것이다. 심각한 오류에 빠진 것이다.[7]

다채로운 색상의 스캔 사진 속 '불타는 뉴런들'이 '나'의 특징을 설명해 준다고 생각하는가? 이것은 한마디로 착각이다. 이 장의 첫 부분에 소개한 바람 이야기를 되뇌어 보라. 우리 각 사람은 저마다 독특한 방식으로 '실체'(현실)를 인식한다. 혹 우리가 동일한 뉴런 구조와 신경세포를 가졌다고 가정해도(동일한 제품의 물감과 붓을 가졌다고 해도), 각 사람은 자기 방식대로 그림을 그린다.

우리는 뇌 연구 기관인 다나 재단이 경고한 대로 '신경환원주의'를 경계해야 한다.환원주의란 복잡한 현상을 단순화하여 이해하려는 시도를 말하며, 생물학에서는 복잡한 생명 현상을 물리적·화학적으로 단순하게 설명하려는 노력을 뜻한다 - 역자 주. 신경환원주의는 오늘날 우리 사회 전반에 퍼져 있는 물질주의(유물론)의 부산물이다. 나는 이 책의 4장에서 신경환원주의에 대해 좀 더 자세히 이야기할 것이다. 물질주의자(유물론자)들은 스캔 사진 속 '불타는 뉴런'의 원자 같은 물질 안에서 뇌 활동의 근원을 찾으려 한다. 최근 다나 재단이 발표한 연구 논문은 얼마나 많은 과학자들이 이러한 물질주의 이론을 따르는지 말해 준다.

과학자들은 '생각'과 '행동' 사이에 생리적 또는 신체적 연결고리를 걸기 위해 발 빠르게 움직여 왔다. 그들은 생각과 행동의 연계를 '물질' 차원으로 환원하여 설명한다. 이를 위해 수많은 신기술들을 도입했는데, 그중 하나가 MRI이다.

MRI는 뇌의 물리적 구조를 밝히는 데 크게 기여했다. 이후 과학자들은 MRI를 이용하여 '인지 기능'과 '의식 작용'이 뇌의 어느 부위와 매칭되는지를 밝히려고 했다. 하지만, 그들의 노력은 실패로 돌아갔다. 사실, 이것은 개념적으로 결점이 많은 시도였다.

이처럼 '뇌'(뇌 활동)와 '인지'를 연결 지으려는 시도는 많았다. 그런데 이러한 연구는 인간의 마음(생각)이 여러 조각으로 이루어져 있다는 '가정'에서 출발한다. 문제는 이 가정 자체가 연구를 방해하는 가장 큰 장애물이라는 것이다!

이 가정이 옳다면, 마음(생각)의 단편들은 서로 분리되어 있으므로 따로 떼어낼 수 있고 독자적으로 관찰할 수 있다. 왜냐하면 이 가정은 '뇌의 인지 과정은 선형線形'이라는 전제에서 출발하기 때문이다. 선형이므로 각각의 인지 모듈은 연결되어 있지 않고 고립·분리되어 있다. 그래서 뇌가 여러 임무를 수행하더라도 각각의 단편은 본연의 성질을 잃지 않는다. 뇌가 특정 임무를 수행할 때, 각각의 인지 모듈은 다른 인지 모듈에 아무런 영향을 끼치지도, 받지도 않는다는 뜻이다. 이처럼 선형일 경우,

무언가 하나를 더하거나 빼도 상관없다. 각각의 과정들이 서로 얽혀 있어서 복잡하게 기능하는 것이 아니기 때문이다.

예를 들어 '반응-시간'의 인지 과정(특정 자극에 대해 어떻게 반응할지 결정하는 데 걸리는 시간)을 생각해 보자. 각각의 모듈이 선형이기 때문에 '반응-시간 인지 모듈'은 오직 한 가지 자극에만 반응한다. 그러므로 아무리 많은 자극을 동시다발적으로 쏟아 붓는다고 해도 해당 자극이 주어지지 않으면, '반응-시간 인지 모듈'은 절대 반응하지 않는다.

인지 과정이 선형이라는 가정과 각각의 인지 모듈이 서로 다른 임무를 수행한다는 가정 때문에 과학자들은 특정한 인지 기능이 뇌의 어떤 특정 부위에 매칭되는지 찾으려고 노력해 왔다. 하지만 이러한 노력은 오늘날 '별 쓸모없는' 노력으로 평가되고 있다. 각각의 인지 모듈이 서로에게 아무런 영향을 끼치지 않은 채, 개별 임무를 수행한다는 가정 자체가 이 연구를 방해하는 장애물이 되어 버렸기 때문이다.

내가 믿기로, 인지는 서로 단단히 얽혀 있는 뉴런 메커니즘의 결과물이다. 인지 모듈 중 그 어느 것 하나 고립된 채 작동하는 법이 없다. 인지 모듈은 독자적 선형 구조가 아니기 때문이다.[8]

본질상, 우주는 긴밀하게 연결되어 있다. 거시적 수준에서는 물론, 원자 단위로 또 에너지의 양자파quantum wave 수준으로까지 긴밀하게 연결되어 있다. 이것은 물리 세계 전반에 뚜렷이 나타나는 현상이다.

그런데 우리는 이 같은 '연결'을 성경에서도 찾아볼 수 있다. 바울은 이렇게 말했다. "그에게서 온 몸이 각 마디를 통하여 도움을 받음으로 연결되고 결합되어 각 지체의 분량대로 역사하여 그 몸을 자라게 하며 사랑 안에서 스스로 세우느니라"(엡 4:16). 바울의 고백처럼 우리는 서로를 필요로 한다.

기능적 자기 공명 영상 fMRI 은 지난 25년 넘도록 신경과학, 정신병리학, 심리학 영역에서 많은 인기를 얻어 왔다. 그러나 최근 존스홉킨스 대학이 제출한 보고서를 보면, fMRI의 효용성에 의문을 제기할 수밖에 없다.

> 그동안 fMRI를 이용한 4만 건 이상의 연구결과가 발표되었다. 그런데 fMRI(정확하게는 fMRI에 사용된 소프트웨어 프로그램)는 뇌에 별 문제가 없는데도 '뇌 활동 환각'을 진단했다(최대 70%까지 오진). 쉽게 말하자면, 거짓 양성 반응(가양성 반응)을 진양성 반응으로 오진한 것이다.
> 에클룬트는 스웨덴과 영국 출신의 한스 누트손, 토머스 니콜스와 함께 fMRI 소프트웨어를 조사해 보았다. 조사 결과, 해당 소프트웨어는 70%까지 가양성 반응을 오진하는 것으로 드러났다. 이는 유의미한 기대 한계치인 5%보다 훨씬 높은 수준이다.
> 이 소프트웨어를 사용한 fMRI 사진을 살폈더니, 특정 자극이 주어질 때 뇌의 특정 부위가 밝아지는 것 같았다. 하지만 실제로 그러한 일은 없었다.[9]

가양성은 인간이 지닌 사고 능력과 책임감의 지위를 크게 손상시켰다. 문제는 가양성 반응을 근간으로 한 이론들이 수없이 많이 만들어졌다는 것이다. 게다가 "이러한 일을 저지르게 된 것은 뇌가 그렇게 하라고 시켰기 때문이다. 내 책임이 아니다. 뇌가 책임져야 한다"라는 변명이 속출했다. 이로 인해 지극히 개인적이고 주관적이고 독특한 경험조차 '불타는 뉴런'의 책임이 되었다. 여기에 인간의 책임이 끼어들 틈은 없다. 이제, 우리가 그리는 그림은 물감들의 화학적 혼합으로 전락해 버렸다.

물론, 생각을 비롯한 여러 정신 활동은 뇌의 복잡한 뉴런과 연관되어 있다. 이 점에 대해서는 누구도 반문할 수 없을 것이다. 뇌는 생각을 작동시키는 회로판과 같아서 매우 복잡하다. 우리는 복잡한 하나님의 형상대로 지음 받았다!

하지만 우리가 뇌에 대해 알 수 있는 것은 극히 제한적이다. 최첨단 영상 촬영기술을 동원해도 뇌는 여전히 신비의 영역 안에 있다. 특히 인지 기능을 수행하는 뇌의 모듈_{집합체}이 각각 분리되어 있고 뇌의 특정 부위가 특정한 생각을 주관한다는 '신경환원주의' 가설을 지지할 경우, 실험을 하면 할수록 뇌는 점점 더 알 수 없는 대상으로 멀어져갈 뿐이다. 우리는 뇌에 대해 잘 알 수 없다. 그러므로 우리가 져야 할 책임을 뇌에게 전가해서는 안 된다.

사실 fMRI에 대한 그릇된 신뢰와 무분별한 사용을 지적한 것은 홉킨스 대학의 연구결과가 처음이 아니었다. 그 이전에도 신경과학계에서는 이에 대한 위험성을 꾸준히 제기해 왔다. 2009년, 다트머스 대학의 연구자들은 fMRI의 가양성(거짓 양성) 반응 오진 위험에 대해 경고했다. 실험 중 그들은 대서양의 연어 사체를 fMRI 기계에 넣고 사진을 찍어 보았다. 사진 판독 결과, 죽은 연어의 뇌는 인간의 사회 활동을 인지하는 것으로 나타났다. 연어의 사체 앞에 다양한 감정을 나타내는 사람들의 사진을 놓아 두었는데, 검사 결과 사람의 얼굴을 본 연어의 뇌 특정 부위가 활성화되는 것으로 나타났다 - 역자 주. 물론 fMRI의 데이터 오류를 보정하지 않았기 때문에 이런 결과가 나왔을 것이다. 그러나 어쨌든 fMRI 사진만 보면, "죽은 연어의 뇌는 인간을 바라보며 그들의 감정 및 심리 상태를 파악하고 있었다"[10]고 할 수 있다.

fMRI 결과에 아무 문제가 없는가? 과연 죽은 연어가 사람의 감정을 읽은 것인가? fMRI 사진 결과처럼 죽은 연어의 뇌가 특정 자극에 반응한 것인가? 그렇다면 "인간의 자유의지와 의식은 환상에 지나지 않는다"는 주장도 가능할 것이다. fMRI 결과를 증거로 제시하면 되지 않겠는가?

아니다. 우리는 fMRI 기술을 의심해야 한다. 정신 활동은 물리적으로 분해할 수도, 분리될 수도 없는 아주 단단하게 얽힌 실체라고 할 수 있다. 결론적으로, 나는 신경환원주의를 버리고 '총체적 인식', 또는 '메타인지 행동양식' 개념을 받아들이게 되었다.

지난 30여 년의 연구를 통해 나는 새로운 도구를 개발하였다. 이것은 기존의 유해한 사고패턴을 강제로 종료시키고, 의도적으로 '건강한 사고패턴'을 주입하는 치료도구이다. 이 방법을 시행한 전후로, 피실험자의 언어능력, 지적 능력, 행동양상, 학업성취도, 감정 변화가 어떻게 달라지는지 비교·평가했다.

선택의 힘

모든 연구의 초점은 '개인의 선택'에 집중되어 있다. 우리는 마음속 '생각'(자신만의 사고방식과 삶을 운영하는 방법)이 어떤 능력을 발휘하는지 정확히 알지 못한다. 그러므로 이를 깨닫는 것이 중요하다. 마음속 생각의 능력을 깨달을 때, 비로소 우리는 세상을 바꿀 수 있다.

하나님께서 바라보시는 '나'는 하나님의 형상을 닮은 존재이자 그분의 놀라운 능력을 품고 있는 존재이다. 이러한 관점으로 자신을 바라볼 때, 우리는 자신 안에 무엇이 있는지를 깨닫고 전과 다른 방식으로 주변 세상을 바라보게 된다(시 139:14).

우리 모두는 '영원'을 관리하는 아름다운 청지기로서(전 3:11, 창 1-2장) 하나님의 영광을 드러낸다. 물론 그 방식은 저마다 다르다. 그런데 하나님의 영광을 드러내기 위한 선결 과제는 '자아 인식'이다. 그리고 참된 자아 인식은 '완전한 나'를 깨달을 때에만 가능하다. '완전한 나'를 깨달을 때, 당신의 내면이 변화된다. 그리고 내면의 변화는 외면의 변화로 이어진다. '완전한 나'를 깨달을 때, 당신을 옥죄던 사슬은 끊어진다. 그러므로 '완전한 나'를 찾는 일은 단지 살아갈 이유를 발견하는 것, 그 이상이다. 그것은 '자신'을 찾는 일이다!

인간은 누구나 하나님을 알기 원한다. 이는 우리가 그분의 형상을 지닌 존재이기 때문이다. 당신은 이 세상을 향해 하나님의 영광을 발산하는 특별한 퍼즐 한 조각이다. 당신은 자신만의 독특한 관점으로 주위 사람들에게 희망을 선사할 수 있다. 그러므로 만일 당신이 '완전한 나'를 찾지 못하면, 그 자체로 이 세상은 큰 손해를 본다. 기억하라. 당신이 '완전한 나'를 찾을 때까지 '세상'이란 퍼즐판은 미완성으로 남을 것이다.

이 세상에 당신과 같은 사람은 없다. 이 말은 당신이 아니면 안 되는, 아무도 대신해 줄 수 없는 일이 있다는 뜻이다. 당신의 '완전한 나' 때문에 당신의 경험은 다른 사람의 삶을 풍성하게 해준다. 당신은 자신만의 독특한 방식으로 하나님의 형상을 나타낸다. 그러므로 당신이 '완전한 나'의 상태가 아닐 경우, 우리 모두는 하나님을 더 깊이 알아갈 기회를 놓치게 된다.

오직 당신만이 '당신다움'을 나타낼 수 있다. 당신은 의지적 선택을 통해 자신의 '완전한 나'를 지켜낸다. 마찬가지로 나 역시 나만의 의지적 선택으로 '완전한 나'를 지켜낸다. 이로써 우리는 서로의 경험을 더욱 풍성하게 해준다. 서로의 차이를 인정하며 함께 걷는 동안, 서로의 '완전한 나'를 더욱 풍성하게 해주는 것이다.

'완전한 나'의 모습대로 사는 것은 참된 자아를 즐기는 방법이기도 하다. 세상은 당신에게 이렇게 말한다. "너는 별 가치가 없어." "너는 이러이러한 기준에 한참 모자라." 이러한 세상에서 '완전한 나'를 누리기란 매우 어렵다. 그러나 바꾸어 생각하면, 그만큼 '완전한 나'의 모습대로 사는 것이 중요하다는 뜻이 아닌가?

당신은 거울에 비친 자신의 모습을 사랑하는가? 그 모습을 미워한다면, 당신은 하나님을 위해 살 수 없으며 이 사회를 변화시킬 수도 없다. '완전한 나'는 자기정체성과 긴밀하게 연결되어 있다. 당신이 '완전한 나'를 깨닫는 순간, 마음 깊은 곳에서 참된 자아를 성취하고픈 욕구가 불쑥 일어날 것이다. 그리고 자신의 자아가 '근본적으로 좋다'는 사실을 인정하게 될 것이다(창 1:31).

당신의 '완전한 나'는 그 자체로 훌륭하다! 일단 당신이 '완전한 나'를 올바르게 인식하고 그 구조를 이해하기 시작하면(물론 '완전한 나'를 온전히 이해하는 것은 인생 전체가 소요되는 여정이다), 어떤 환경에서든 당신은 자유와 기쁨을 누릴 수 있다.

'완전한 나'는 당신을 자유롭게 풀어내 참된 자아를 성취하게 하고, 당신이 원하는 삶을 살아가게 한다. '완전한 나'의 모습대로 살아갈 때, 당신은 진정한 만족을 느낀다. '완전한 나'는 사랑, 희락, 화평, 오래 참음, 자비, 양선, 충성, 온유, 절제의 열매로 가득하다(갈 5:22-23). '완전한 나'는 소망이다. 이 소망은 결코 멈추지 않으며, 모든 상황과 환경을 견뎌낸다.

'완전한 나'는 인생의 경험과 교훈들을 해석하는 틀로, 우리의 태도를 향상시킨다. '완전한 나'는 끊임없이 역동적으로 변화하며 제한 없는 성장 가능성을 선사한다. '완전한 나'는 우리에게 찬란한 미래로 나아갈 기회를 제공하는 진정한 성공의 열쇠이다.

'완전한 나'라는 필터 덕분에 과거의 아픔과 상처들은 새로운 빛 아래에서 재해석될 것이다. 당신의 기억은 새로워질 것이며, 이로 인해 세상을 바라보는 관점 또한 달라질 것이다.

'완전한 나'를 따르는 삶은 두려움 대신 사랑을 선택하는 삶, 사랑 가득한 세상을 만들기로 선택하는 삶이다. 우리 모두는 이러한 선택을 갈망한다.

그러나 오랜 세월 동안 두려움, 참을성 없음, 불친절, 짜증, 교만, 자랑, 쓴 뿌리, 용서하지 못함, 올바르지 못한 선택, 트라우마 등이 우리 삶에 파고들어 '완전한 나'의 성취를 방해해 왔다. 이제 더 이상은 안 된다! 우리는 '완전한 나'의 성취를 갈망해야 한다.

'완전한 나'는 당신에게서 수치심과 죄책감을 제거해 줄 것이다. 이를테면, '내가 왜 그랬을까?', '그때 그 일을 했어야 했는데…', '할 수 있었는데…', '그때 그 일을 하지 말았어야 했는데…' 등과 같은 과거에 대한 후회를 제거해 준다. 그러므로 당신이 '완전한 나'를 회복하면, 핑계와 수치심과 죄책감은 사라지고, 그 자리에 소망과 자신감이 차오를 것이다. 새로운 기회의 문이 열릴 때, '완전한 나' 덕분에 주저하지 않고 그 길을 선택할 수 있다.

'완전한 나'를 온전히 회복하기 전까지 당신의 삶은 소위 '과녁을 벗어난' 상태이다. 이처럼 어긋난 삶을 살아가기 때문에 당신 안의 하나님의 형상은 왜곡된다. 그러나 '완전한 나'를 회복하면, 우리는 하나님의 형상대로 살아갈 기회를 얻는다. 과녁의 정중앙을 명중하게 되는 것이다.

이렇게 트라우마에서 자유로, 고통에서 평안으로, 우유부단함에서 과감함으로, 두려움에서 용감함으로, 문제를 피하려는 비겁함에서 문제를 대면하려는 용기로, 잡생각을 방치해 두는 소극성에서 생각을 사로잡는 적극성으로, 수동성에서 열정으로, 소망 없음에서 소망 충만으로 변화된다.

'완전한 나'를 회복하면 자신이 무엇을 어떻게 생각하고 느끼는지, 그리고 어떤 선택을 하는지 이해하게 된다. 이에 어떤 방법으로 마음을 새롭게 할 수 있는지도 자연스럽게 깨닫고, 더불어 인생의 문제를 해결할 능력도 얻는다(롬 12:2).

우리 모두는 매일같이 생각하고 느끼고 선택한다. 하지만 어떤 과정을 거쳐 생각하고 느끼고 선택하는지 제대로 아는 사람은 거의 없다. '완전한 나'는 우리가 어떤 과정을 거쳐 생각하고 느끼고 선택하는지를 알려 준다.

'완전한 나'는 진정한 정체성이며, 나 자신을 진솔하게 대하는 방법이기도 하다. '정체성'은 우리의 본성에 내재해 있다. 그러므로 우리는 항상 본성에 따라 '완전한 나'를 찾으려 한다.

'완전한 나'는 우리 정체성의 핵심이다. 우리는 어떻게든 이 정체성을 찾아야 한다.

안정된 정체성

포스트모던 사회에서 '안정적인 정체성'을 확립하기란 결코 쉽지 않다. 그러므로 우리가 '하나님의 형상을 따라 지음 받았다'는 사실부터 확신해야 한다. 우리 모두는 '내 안에 새겨져 있는' 하나님의 형상을 찾아야 한다. 그렇지 않을 경우, 세상이 우리에게 낙인을 찍을 것이다. 세상의 낙인을 받으면, 당신은 하나님의 형상 대신 "넌 그런 사람이야"라는 세상의 낙인을 따라 살아가게 된다.

당신이 무엇을 생각하고 집중하든, 가장 많이 생각하고 집중하는 그 생각이 당신의 정체성을 형성한다. 과거 이스라엘 백성은 자신에게 내재한 하나님의 영광(하나님의 형상대로 지음 받은 '완전한 나'의 모습)을 금송아지의 영광과 맞바꾸었다(출 32:4, 롬 1:18-25). 그렇게 그들은 자신의 정체성을 잃어버렸다. 우리 역시 하나님의 부르심에서 이탈할 때, 정체성을 잃는다.

당신은 무엇을 사랑하는가? 이 질문은 매우 중요하다. 왜냐하면 자신도 모르게, 어느 순간 '내가 사랑하는 것'이 나의 정체성으로 자리 잡기 때문이다. 그러므로 무엇을 사랑하느냐가 관건이다. 당신은 하나님을 사랑하는가? 당신이 가장 사랑하는 것이 부디 하나님이길 바란다. 우리는 하나님 사랑하는 법을 배워야 한다.

어떻게 해야 하나님을 사랑할 수 있는가? 감사하게도 하나님께서는 우리 안에 자신의 형상을, 그 놀라운 '영원'의 한 조각을 남겨 두셨다. 우리는 우리 안에 있는 한 조각 하나님의 형상을 바라봄으로써 그분을 사랑할 수 있다. 내 안에 계신 하나님을 바라보고 집중하라. 그렇게 할 때, '완전한 나'의 진정성은 점점 더 뚜렷해진다. 기억하라. 하나님께서 디자인해 두신 '완전한 나' 외의 그 어느 것도 우리를 만족시킬 수 없다.

당신이 누군가의 업적에 대해 읽고 그들을 부러워하며 그들의 인생의 청사진을 자신의 것으로 삼으려 한다면, '완전한 나'의 회복은 멀어진다. 타인에 대한 부러움과 모방은 '완전한 나'가 참된 자아를 형성하지 못하도록 제동을 건다. 당신은 오직 '당신'이어야 한다. 다른 누군가가 되어서는 안 된다. 또한 다른 누군가가 될 수도 없다. 당신의 내면 깊은 곳, 그 중심에 있는 정체성은 아무리 억눌러도 밖으로 새어나오기 마련이다. 자신의 정체성을 바꾸고 싶은가? 안타깝지만, 그것은 불가능한 일이다!

자신의 '완전한 나'를 싫어하고 그것을 의심하면서 불안해하면, 혹은 다른 사람의 '완전한 나'를 부러워하고 모방하면서 자신의 재능을 폄하한다면, 당신은 하나님께서 계획해 놓으신 '충만한 모습'에까지 이르지 못한다. '완전한 나'는 올바른 자세로 자신을 사랑하는 방법이다. 또한 이기심을 극복하고 다른 사람을 사랑하는 방법이기도 하다.

우리는 일관된 견해와 태도를 유지한 상태로 살아가야 한다. 이를 위해 자신의 영혼, 생각, 느낌, 선택, 언어생활, 행동을 일치시켜야 한다. 뇌가 믿지 않는 내용을 입으로 내뱉을 때(특히 그 말이 "나는 쓸모없는 사람이야"와 같이 '완전한 나'를 위해하는 발언일 때), 그 말은 다름 아닌 독이 된다. 그리고 당신의 삶에서 질서가 사라질 것이다.

물론 나를 향한 하나님의 계획과 디자인이 싫어서 이를 벗어나기 위해 발버둥 칠 수는 있다. 다른 사람의 삶이 좋아 보여서 그 사람처럼 되기 위해 자신에게 주어지지도 않은 사명을 붙잡으려고 무단히 애를 쓸 수도 있다. 하지만 이때 당신의 마음과 육체는 갈등과 혼란을 겪을 것이다. 내면 깊은 곳의 참된 당신은 항상 '본래의 모습'(완전한 나)으로 회귀하려 들기 때문이다.

'완전한 나'의 정의

그렇다면 '완전한 나'는 무엇인가? 자신만의 독특한 사고방식, 자신만의 독특한 감정체계, 자신만의 독특한 의지, 이것이 바로 '완전한 나'이다. 나만의 생각, 느낌, 선택 방식이 바로 '완전한 나'이다.

생각, 느낌, 선택(지성, 감정, 의지)은 모두 마음의 기능이다. 그리고 당신의 고유한 언어습관과 행동양식은 마음(생각)의 열매이다. 그러므로 언어와 행동은 '완전한 나'가 겉으로 드러난 가시 현상이라고 할 수 있다. 세상을 바라보는 당신의 관점은 겉으로 드러나는데, 그것이 언어습관이고 행동양식이다.

왜 '완전한 나'를 이해하는 것이 중요한가? 이는 '완전한 나'가 하나님의 형상을 반영하고 있기 때문이다. '완전한 나'를 이해할 때, 당신은 자신의 정체성을 깨닫는다. 하나님의 영광과 피조세계를 다스리고 관리해야 하는 위대한 사명을 깨닫는다.[11] '완전한 나'는 당신이 자신의 독특한 생각, 느낌, 선택 방식에 따라 다른 사람들과 소통하고 행동할 수 있도록 도와준다. 이처럼 '완전한 나'를 깨달을 때, 당신은 등경 위의 빛처럼 자신의 이미지를 밝게 빛낼 수 있다(마 5:14-16).

하나님께서는 우리가 사랑에만 반응하도록 디자인해 놓으셨다. 이러한 하나님의 디자인에 따라 살아갈 때, 우리는 주변 사람들에게 시의적절한 사랑의 말씀을 전할 수 있다. 하나님의 디자인에 따라 살 때, 우리는 올바르게 선택하고 행동하게 된다. 이에 평안과 효율이 우리의 삶과 대인관계를 지배할 것이다(사 50:4). 그 결과 자기 자신을 존중하듯, 다른 사람의 '형상'을 존중하게 된다. 각 사람은 하나님의 다양한 면모를 조금씩 비춰 낸다. 그러므로 우리가 자신과 다른 사람을 존중할 때, 하나님을 더 깊이 알게 된다.

하나님께서 주신 나만의 독특하고 놀라운 사명 완수를 위해 필요한 모든 것은 '완전한 나' 안에 다 들어 있다. 하나님은 우리 안에 '영원'을, 거룩한 사명감을 심어 놓으셨다(전 3:11).

당신은 "너는 특별해"라는 말을 수없이 들어 보았을 것이다. 그러나 실제로 그렇게 믿어 본 적은 없을 것이다. 어쩌면 당신은 이미 '완전한 나'를 발견했을지도 모른다. 그러나 그 안에서 생명을 누리거나 성장하지는 못했을 것이다. 어쩌면 당신은 다른 사람의 삶을 모방하며 그들과 같은 성공을 추구하느라 '완전한 나'의 본연대로 살지 못했을 것이다. 지금은 하나님께서 당신 안에 두신 '완전한 나'를 인식하고 작동시킬 때이다!

'완전한 나'의 구조를 배우라. 어떻게 '완전한 나'를 따라 살아갈 수 있을지 생각해 보라. 그러면 당신은 '완전한 나'를 발견하게 될 것이다. 나는 그 방법을 가르치기 위해 이 책을 썼다.

일단 '완전한 나'를 찾기로 다짐하길 바란다. 다짐했다면, 지금 당신은 '영원히 변화되는 여정'을 시작한 것이다.

이제 당신의 삶은 더 이상 '나만을 위한' 삶이 아니다. 당신은 질서가 무너진 이 세상을 향해 하나님의 영광을 비춤으로써 '나'라는 테두리를 벗어날 수 있다.

그러나 당신의 '완전한 나'가 무언가에 가려져 있다면, 당신은 하나님의 영광을 발할 수 없다. "사람이 등불을 켜서 말 아래에 두지 아니하고 등경 위에 두나니 이러므로 집 안 모든 사람에게 비치느니라"(마 5:15). 당신의 '완전한 나'가 가려져 있을 경우, 당신은 하나님께서 디자인해 두신 본연의 모습대로 살아갈 수 없다.

이 책의 구성은 다음과 같다. 1부에서는 '완전한 나'를 정의한다. 각자의 고유한 사고방식(생각)과 감정체계(느낌)와 의지(선택)의 테두리 안에서 '완전한 나'가 무엇인지 정의하는 것이다. 이후 '완전한 나' 안에 거하는 것이 얼마나 중요한지를 배운다.

2부에서는 '완전한 나'를 뒷받침해 주는 철학과 과학을 배운다.

3부의 초반부에서는 '완전한 나'를 찾는 데 도움이 될 UQ 검사에 대해 알아볼 것이다. 이어서 '불편한 구역'의 개념을 알아본 후 우리가 언제, 어떻게 '완전한 나'에서 이탈하는지 확인해 볼 것이다. 또한 정신적·육체적 건강을 해치는 비교, 질투, 시기심에 대해 살펴보고, 그 덫에서 빠져나올 방법도 알아볼 것이다. 비교, 질투, 시기심의 덫을 빠져나오는 동안, 당신은 자신의 몸과 마음 안에서 어떤 일이 일어나는지 확인하게 된다. 또한 강제로 자신의 몸과 마음에 변화를 일으키는 대신 자신의 경험에 의지하는 법을 배울 것이다. 3부의 후반부에서는 '완전한 나'의 모든 개념을 한데 아우른 요약 차트를 소개할 것이다.

부록에는 300개 이상의 질문으로 구성된 UQ 검사를 수록하였다. 우리는 UQ 검사를 시행하면서 그동안 억눌러 왔던 '완전한 나'를 풀어놓게 될 것이다. UQ 검사는 당신만의 독특한 사고(생각), 감정(느낌), 의지(선택)의 패턴을 이해하는 데 도움을 준다. 이것은 단 한 번 시행하고 마는 심리 검사가 아니다. 우리가 하나의 인격체로 성장하는 데에는 평생

이라는 시간이 소요된다. 그 기간 동안 우리는 정기적으로 UQ 검사를 시행해야 한다. UQ 검사 후에는 과연 우리가 '완전한 나'의 모습대로 살아가고 있는지 확인해 볼 간단한 체크리스트를 소개할 것이다. 그리고 마지막으로 당신의 '완전한 나'가 성장하고 발전하는 데 도움이 될 일련의 훈련과정을 게재하였다.

이 책을 다 읽은 후, 당신은 '성공'의 의미를 재정의하게 될 것이다. 주변 사람들의 기대라는 숨 막히는 상자를 벗어나, 참된 자아의 청사진과 마주할 것이다. 이후 당신은 하나님께서 주신 삶의 목적을 명확하게 인식할 것이다.

진정한 성공

성공을 어떻게 정의할 수 있을까? 당신은 히브리어 '샬롬'의 의미를 아는가? 만일 '샬롬'의 의미로 성공을 정의한다면, 우리가 떠받드는 집합적 자산, 권력, 현금 보유량 등은 성공의 기준일 수 없다. 만일 부와 명예와 권력을 성공과 등치시킨다면, 고소득 계층만 성공자이고 이들만 아무 염려 없이 평안하게 살아야 한다. 왜냐하면 샬롬의 의미가 평안이고, 성경은 이러한 샬롬을 진정한 성공으로 여기기 때문이다.

그러나 부와 명예와 권력은 진정한 성공의 기준이 아니며, 샬롬은 더더욱 아니다. 성경적인 성공의 기준은 '인생을 향한 하나님의 목적'이다. 즉, 하나님의 목적대로 살아가느냐가 성공의 관건인 것이다. 하나님께서 우리에게 주신 '완전한 나'를 활성화하여 자신을 변화시키고 지역사회를 변화시키며 하늘을 땅으로 달아 내린다면, 그것이 참된 성공이고 샬롬인 것이다(마 6:9-13).

그런데 우리 각 사람은 서로 다른 방식으로 샬롬을 표현한다. 왜냐하면 '나'는 다른 사람이 할 수 없는 '그것'(나만이 할 수 있는 일)을 할 수 있기 때문이다.

이 책을 깊이 파라. 그래서 여기에 담긴 진리들을 발견하라. 이 책을 당신의 정체성, 곧 '완전한 나'를 찾아낼 도구로 삼으라.

먼서 자신의 '완전한 나'를 발견하라. 그리고 주변 모든 사람의 모습에서 '완전한 나'를 찾아보라. 자녀의 '완전한 나'를 찾으라. 배우자에게서, 직장 동료에게서 '완전한 나'를 찾아보라. '완전한 나'를 찾는 중 당신은 하나님의 살아 있는 약속과 그 안에 담긴 참 진리를 발견하게 될 것이다.

당신은 고통과 갈등을 겪도록 지음 받은 존재가 아니다. 당신은 변화하는 삶의 한복판에서 어떻게 복을 누리는지를 배우기 위해 지음 받았다. 당신은 자신이 속한 이 세상의 진정한 정복자이다(롬 8:37).

이 세상에는 당신의 성격을 특정한 상자에 가두고 꼬리표를 붙이려는 심리 테스트가 많다. 사실, 그 많은 성격 검사는 정해진 유형 안에 당신을 가두려는 목적으로 고안되었다. 그러나 당신에게 특정 성격 유형 라벨을 붙일 수는 없다. 왜냐하면 당신은 유형으로 한정할 수 없는 사람이기 때문이다. 당신이 품고 있는 청사진은 도무지 유형별로 분류할 수 없다. 하나님은 오직 당신만을 위해 그 청사진을 고안하셨고, 그 청사진을 따라 당신을 창조하셨다. 당신은 어떤 유형으로도 분류할 수 없고, 바꿀 수도 없는 '영원한 진리'(청사진, 완전한 나)의 소유자이다.

당신은 이미 그 자체로 '충분한' 존재이다.

Chapter 2

'완전한 나'

> 그 일은 … 아무도 보지 못한 것을 보려는 노력이 아니다. 다만 모든 사람이 본 것에 대해 아무도 생각하지 못한 것을 생각해 내려는 노력이다.
>
> **— 어윈 슈뢰딩거, 물리학자**

생각, 느낌, 선택

'완전한 나'는 생각, 느낌, 선택을 통해 자신의 독특함(정체성의 청사진)을 드러내는 방법이다. 여기에는 뇌와 몸이라는 두 개의 핵심 요소가 있다.

뇌는 일련의 생각들이 저장되는 곳이자 이미 저장된 생각들과 접속하는 '접점'이다. 우리가 선택한 생각들은 뇌에 저장되는데, 우리는 그렇게 저장된 생각들(기억)과 접속한다. 중요한 것은 뇌가 마음을 통제하는 것이 아니라 마음이 뇌를 통제한다는 것이다. 생각은 사고, 감정 처리, 선택 과정을 통해 만들어지는 물리적 산물이다.

몸은 이러한 생각들을 근간으로 '완전한 나'를 표현해 낸다. 물론 몸을 통해 '완전한 나'가 표현되는 과정은 사람마다 다르다.

'완전한 나'는 각 사람의 독특한 정보처리 방식을 규정한다. 쉽게 말해, '완전한 나'는 일종의 정보처리 '필터'와 같다. 이 필터는 우리 삶의 근간, 곧 영혼의 기저를 이루는 본질 안에 들어 있다.

내 마음의 활동(생각하고 느끼고 선택하는 활동)이 '완전한 나'의 모습을 보여 준다. 내게 있는 '완전한 나'는 나만의 고유한 특징을 드러낸다. 이 세상에는 다른 사람이 할 수 없는, 오직 나만이 할 수 있는 일이 존재한다. 그 일은 나의 생각, 느낌, 선택을 통해 내 안에 있는 '하나님의 형상'을 나타내는 것이다! 그 누구도 나의 '완전한 나'를 모방할 수 없다. 자신에게 내재한 하나님의 형상이 겉으로 드러날 때, 우리는 비로소 '완전한 나'와 마주하게 된다.

과학은 '완전한 나'의 구조를 분석하는 데 도움을 준다. 우리는 자신이 생각하고 느끼고 선택하는 과정을 집중하여 살펴봐야 한다. 또한 각 사람의 뇌가 생각, 느낌, 선택을 어떤 식으로 반영하는지도 살펴봐야 한다.

마음이 뇌를 변화시킨다

마음이 뇌에 어떤 영향을 미치는지, 또 뇌를 어떻게 변화시키는지 과학적으로 살펴보자. 뇌는 우리의 생각이 저장되는 곳으로, 말과 행동을 주관하는 물리적 회로판과 같다. 일단, 이러한 가정을 상정하여 뇌를 통해 '완전한 나'가 구현된다고 생각해 보자. 그렇다면 각 사람의 뇌는 그 소유자의 특징에 맞춰져 있을 것이다. 거시적 단계인 뇌의 각 부위 구조부터 미시적 단계인 뉴런과 아원자, 그리고 양자의 진동에 이르기까지, 각 사람의 뇌는 서로 다르다. 그렇다. 심지어 뇌의 단백질도 서로 다른 방식으로 진동한다!¹⁾ 생각은 뇌 구조와 긴밀하게 연결되어 있어서 독특한 생각이 독특한 뇌를 통해 표현된다.

동일한 영화를 보고, 동일한 음식을 먹고, 동일한 연예인을 만나고, 동일한 발언을 듣더라도 당신의 반응은 남들의 반응과 다를 것이다. 특정한 자극이 주어질 때 당신만의 방식으로 독특하게 반응하는 현상은 그리 대수롭지 않게 보일지도 모른다. 그러나 당신의 독특한 반응은 당신에 대해 참으로 많은 것을 말해 준다. 그러므로 결코 대수롭게 여겨서는 안 될 것이다.

빙햄턴 대학의 연구팀은 뇌파의 반응만 보고도 그것이 서로 다른 사람의 것임을 분별해 낼 수 있다고 하였다.²⁾ 동일한 맥락에서, 사람들의 후각도 저마다 다르다. 우리는 자신만의 독특한 후각을 소유하고 있는데, 이를 가리켜 '후각 지문'이라고 한다.³⁾ 사람마다 세계관이 다르다는 사실은 굳이 설명하지 않아도 될 것이다. 이처럼 각 사람의 독특한 특징이 그들의 뇌 구조 형성에 영향을 준다.⁴⁾

우리가 무언가를 생각하고 느끼고 선택할 때, 우리의 마음에 다양한 정보가 유입된다. 이때, 마음은 유입된 정보를 처리하고 뇌의 배선을 변경한다. 마음에 떠오르는 생각에 집중하여 나의 사고 능력, 감정 능력, 선택 능력이 어떠한지 살펴보면, '완전한 나'에 한 발자국 더 가까이 다가설 수 있을 것이다. 거듭 강조하지만, '완전한 나'는 우리 존재의 근간이자 정체성의 청사진이다.

자신이 누구인지 알고 삶의 목적을 발견하기 위해, 우리는 생각과 뇌가 어떻게 교류하는지 이해해야 한다. 우리는 자신의 사고방식(생각), 감정 처리 과정(느낌), 선택 패턴(선택)을 살펴봄으로써 생각과 뇌의 교류

방식을 이해할 수 있다.

생각은 무엇인가? 뇌를 구성하는 물질은 무엇인가? 본질적으로, 뇌는 우리의 생각이 물질 형태로 변환된 것이다. 쉽게 말해 당신의 생각과 느낌과 선택의 물질적 현현顯現이 바로 뇌인 것이다(뇌가 생각을 만들어 내는 것이 아니라 생각이 뇌를 만들어 내는 것이다). 비유하자면, 예술가의 마음속 아이디어가 물질 형태인 그림으로 표현되는 것과 같다. 한 장의 그림은 무작위로 뿌려진 물감들의 궁색한 조합이 아니다. 그림은, 예술가가 자신의 '완전한 나'를 캔버스 위에 표현한 것이다. 뇌 또한 우리의 '완전한 나'(생각, 느낌, 선택)가 물질화된 것이다.

정리하면, 당신의 생각, 느낌, 선택이 실제로 어떤 물질을 만들어 낸다는 뜻이다. 일례로 기억은 유전자 발현 과정을 거쳐 단백질로 변환된다. 과거의 생각과 감정이 물질화된 것, 그것이 기억이다.DNA에 내재한 유전정보에 따라 단백질이 형성되는 과정을 유전자 발현이라고 한다 - 역자 주. 참고로 유전자 발현을 통제하는 것은 생각이다. 우리는 생각으로 유전자 발현 스위치를 켜거나 끌 수 있다.

생각은 열매를 맺는다. 당신만의 독특한 언어습관과 행동방식만 봐도 이 사실을 알 수 있다. 언어와 행동은 당신의 생각이 빚어낸 결과물이다. 그러므로 당신의 생각은 독특할 뿐 아니라 매우 강력하다! 생각은 '지각의 확률'(생각의 신호)로부터 물리적 실체(단백질로 구성된 물리적 형태의 생각 또는 기억)를 창조해 낸다.

디모데후서 1장 7절의 말씀처럼 우리는 사랑과 능력과 절제하는 마음을 지녔다. 우리는 깊은 생각(묵상)을 통해 내면 깊은 곳에 자신의 영원한 실체를 뿌리내릴 수 있다(전 3:11).

우리는 하나님의 형상대로 지음 받았다. 기억하라. 하나님의 생각, 곧 그분의 로고스가 온 우주를 창조하였다! "태초에 말씀이 계시니라"(요 1:1). 우리는 그리스도의 마음(생각)을 가졌다(고전 2:16). 하나님의 형상대로 지음 받았기 때문에 우리 역시 생각으로 무언가를 창조해 낸다.

자유의지와 '완전한 나'

알버트 아인슈타인은 여러 차례 다음과 같이 말했다. "나는 신의 생각을 알고 싶다. 나머지는 대수롭지 않다." 하나님의 생각은 '완전한 나'를 이해하는 데 꼭 필요한 요소이다. 왜냐하면 우리는 "그를 힘입어 살며 기동하며 존재하기" 때문이다(행 17:28).

하나님은 생각으로 만물을 만드신 후 그 모든 것을 우리에게 보여 주셨다. 하나님은 우리도 무언가를 창조해 내길 원하신다. 하나님께서 생각으로 만물을 만드신 것처럼 우리도 생각으로 무언가를 만들 수 있다. 물론 우리의 생각, 우리의 '완전한 나'는 하나님의 생각과 철저하게 구별된다. 그렇다 해도 우리의 의식(생각)은 하나님의 의식에서 기인했다.

각 사람의 '완전한 나'가 서로 다르기 때문에 각 사람의 사고방식 또한 다르다. 그런데 '완전한 나'는 그 자체에 '불확정성'을 내포하고 있다. 누구도 당신의 생각, 느낌, 선택을 예단할 수 없다는 뜻이다. 당신의 '완전한 나'는 전적으로 당신의 것이다. 당신이 무슨 생각을 하고 있고, 어떤 감정을 품고 있으며, 언제 무엇을 선택할지는 오직 당신만 알 수 있다.

만일 누군가가 당신을 잘 안다고 했다고 하자. 그래 봤자 그는 당신의 과거 행동을 근거로 현재 당신이 무슨 생각을 하고 있을지 추측하는 정도이다. 잘 안다고는 하지만, 어디까지나 추측에 불과하다. 당신이 직접 입을 열어 자신의 생각을 말해 주기 전까지, 그는 당신에 대해 어떠한 것도 확신할 수 없다. 우리는 다른 사람이 무슨 생각을 하고 있는지 알 수 없고, 그가 앞으로 어떤 일을 할지도 알 수 없다. 이것이 '완전한 나'의 불확정성이다.

물리학적으로 접근하자면, 당신의 '완전한 나'를 구성하는 당신의 생각과 느낌과 선택은 옳은 일을 할지, 그른 일을 할지 결정하는 시공간의 한 지점이다. 그 지점에 서 있는 사람은 오직 당신뿐이다. 당신 외에는 누구도 그 지점을 손에 넣지 못한다. 누구도 당신의 선택을 결정하지 못한다. 옳은 것을 선택할지, 그른 것을 선택할지는 당신이 결정한다.

물론 어떤 환경이나 상황과 맞닥뜨릴지, 일일이 우리가 선택하고 결정할 수 있다는 뜻은 아니다. 게다가 그 어느 것으로부터 영향받지 않는 진공 상태에서 살아가는 사람은 아무도 없기에 우리의 선택은 다양한 변수에 영향을 받기 마련이다. 하지만 그 무엇도 우리의 선택 행위 자체를 확정짓거나 변경할 수는 없다. 주어진 환경과 상황에 반응하는 방법 또한 우리가 결정한다. '나' 외에 다른 무언가가 대신 결정해 주는 것이 아니다. 이것은 오롯이 우리의 몫이다. 삶에서 일어나는 일에 어떻게 반응할지는 오로지 당신 홀로 결정하고, 당신 홀로 책임져야 한다. 결국 당신의 미래는 무한한 가능성으로 일어날 여러 가지 사건들과 그에 따른 당신의 반응(선택)으로 이루어진다. 당신의 미래는 열려 있다. 무엇을 선택하느냐가 관건이다.

양자물리학에서 볼 수 있듯, 하나님께서는 확률론적 개방형 우주를 창조하셨다. 따라서 인간의 인지 영역에 존재하는 가능성의 조합은 무한하다. 이러한 이야기가 당신의 귀에 복잡하게 들릴는지도 모르겠다. 하지만 이것은 인간이 지닌 '자유의지'와 신명기 30장 19절의 내용을 잘 설명해 주는 방법이다. 우리는 생명 또는 사망을 선택할 수 있다. 복을 선택할 수도 있고, 저주를 선택할 수도 있다. 양자물리학은 이러한 선택의 열린 가능성을 수학적으로 설명하는 방법이다. 하나님께서는 종종 과학을 사용하여 자신의 광대함을 드러내신다. 또 우리에게 선사한 '자유의지'가 얼마나 놀라운지 설명하기 위해 과학을 사용하신다.

아인슈타인은 "신은 주사위를 던지지 않는다"고 말했다. 그는 고전물리학자로서 '합리적인 우주'$_{rational\ universe}$를 주장했던 사람이다. 합리적 우주론은 우주 안에서 일어나는 모든 일이 특정한 법칙에 의해 결정된다는 이론이다. 합리적 우주론의 골자는 '법칙'이다. 그래서인지 아인슈타인은 '열린 우주'나 '자유의지'와 같은 개념을 좋아하지 않았다. 심지어 그는 이런 것을 가리켜 환상이라고까지 폄하했다. 그러나 양자물리학에 의하면, 하나님은 주사위 놀이를 하시는 것처럼 보인다. 물론 사랑과 은혜라는 테두리 안에서 말이다.

하나님은 우리를 향해 "너희는 나를 사랑해야 한다, 나를 섬겨야 한다"고 강요하지 않으셨다. 그 대신 우리를 하나님의 영광스러운 형상을 독특하게 반영하는 지적 존재로 만들어 각 사람으로 하여금 자신의 선택대로 인생을 살아가게 하셨다. 그렇다. 하나님께서는 우리에게 '자유의지'를 주셨다. 엄청난 위험을 감수하신 것이다. 우리 입장에서 보면, 이것은 그야말로 위험천만한 모험이다. 그러나 하나님의 모험에는 '사랑'이 스며 있다.

철학자 키스 워드가 말했다. "만일 신이 인간의 삶을 미리 정해 두지 않고 인간 스스로 선택하여 자유롭게 살기를 바랐다면, 일단 '자유'라는 것을 존재하게 할지를 결정하기 위해 주사위를 던져야 했을 것이다."[5] 이처럼 인간에게 자유의지를 안기는 일은 위험천만하다. 그러나 하나님은 우리에게 선택의 자유를 주셨다. 하나님께서는 우리가 자발적으로 하나님을 사랑하기 원하셨다. 하나님은 우리와 친밀한 관계를 누리기 원하신다. 인간에게 주신 자유의지는 하나님이 보이신 사랑의 적극적 표현이다.

우리의 '완전한 나'에 내재한 '창조의 자유'는 매우 강력한 힘이다. 그 힘은 매우 실제적이며, 결코 허상이 아니다. 우리는 '완전한 나'를 통해 생각하고, 생각은 실체(물질)를 빚어낸다. 이렇게 만들어진 실체는 먼저 하나님과 연결되고, 이후 각 사람과 연결된다. 그렇기 때문에 생각은 중요하다. 결국, 우리가 품은 모든 생각이 모든 사람에게 영향을 미친다.

하나님께서는 '하나님 안에서', '하나님을 통해' 모든 것을 만드셨다. 만드신 이가 하나님이시므로, 모든 피조물은 서로 연결되어 있다. 우리는 하나님의 형상을 지닌 존재로서, 이 우주와 그 안에서 살아가는 모든 사람에게 특별한 영향을 미친다. 우리는 이 세상을 향해 하나님의 영광을 발산하고, 하나님을 향해 피조물의 찬양을 올려 드리는 존재이다.

얽혀 있는 세상에서의 '완전한 나'

양자물리학은 우리가 사는 세상이 얼마나 많이 얽혀 있는지 이해하도록 도와준다. 여기에서 십억 광년 떨어진 곳에 광자光子 하나가 생겨났다고 하자. 아무리 멀리 떨어져 있더라도 그것은 우리에게 영향을 미친다.

다만 우리가 그 영향력을 알아채지 못할 뿐이다.

1964년 제네바 유럽입자물리연구소$_{CERN}$에서 발표한 '벨 정리'로 유명한 존 벨은 "각각의 입자는 다른 모든 입자들과 양자물리학적으로 연결되어 있다. 무엇으로도 그 연결성을 끊을 수 없다"고 말하였다. 시간·공간적으로 아무리 멀리 떨어져 있다 해도 서로 연결된 모든 미립자들은 서로에게 영향을 미친다. 이 같은 상호 연계성은 시공을 초월한다.[6]

물론 여기에서 말하는 연계성은 우리 모두가 동일한 존재임을 뜻하지 않는다. 오히려 우리의 상이성$_{相異性}$이 상호 연계성을 향상시킨다. 우리가 서로 다른 존재이기에 상호관계의 틀이 견고해진다는 뜻이다.

나는 나의 생각이 주위 사람들에게 어떤 영향력을 미치는지 알 수 없다. 우리는 모든 것을 아는 존재가 아니다. 그러나 주변 사람들이 슬퍼할 때를 생각해 보라. 당신의 마음도 아프지 않은가? 끔찍한 사고를 당하거나 TV를 통해 어려운 상황에 처한 사람들을 볼 때, 동정심을 느끼지 않는가? 이러한 경우, 우리는 서로 연결되어 있다는 느낌을 받는다.

각 사람 안에는 '하나님의 영원'을 구성하는 조각들이 하나씩 들어 있다. 그래서 모두가 한데 모일 때, 우리는 하나님의 창조의 영광을 깨닫게 된다. 하나님은 커다란 시스템이고, 각 사람은 그 안에 존재하는 부품과 같다. 하나의 몸에 수많은 세포가 있듯, 우리는 한 분에게서 나온 수많은 세포이다. 다만 그 몸의 어느 부분에 속해 있는지에 따라 각 사람의 기능이 다를 뿐이다. 이처럼 '완전한 나'는 관계를 정의해 준다.

그러나 '완전한 나'가 말해 주는 것이 관계만은 아니다. '완전한 나'는 인생을 살아가는 동안 우리가 담당하는 수많은 역할도 정의해 준다. 이를테면 우리는 누군가의 아들이고, 딸이며, 엄마이고, 아빠이다. 그리고 누군가의 친구이고, 연인이며, 직장 동료이다. 따라서 '완전한 나'는 우리로 하여금 개인의 경력을 완성하게 하고, 사회에 공헌하도록 도와준다고 할 수 있다. 결국, '완전한 나'를 실현하는 일은 우리가 누구인지 발견하는 일이며, 우리가 사는 목적이 무엇인지 깨달아 가는 여정이다.

이러한 맥락에서 우리는 세계보건기구WHO가 '정신건강'을 어떻게 정의했는지 살펴볼 필요가 있다. 결론부터 말하자면, 세계보건기구가 말한 '건강한 정신'은 '완전한 나'를 찾은 상태이다. "정신건강은 잘 사는 상태, 즉 '행복'으로 정의된다. 정신적으로 건강한 사람은 자신의 잠재력과 발전 가능성을 깨닫고, 일상의 스트레스를 해소하며, 생산적으로 일한다. 이로써 자신이 속한 공동체에 기여한다."[7] 우리는 요한삼서 1장 2절에서 이와 동일한 내용으로 설명된 '정신건강'을 발견한다. "사랑하는 자여 네 영혼이 잘됨 같이 네가 범사에 잘되고 강건하기를 내가 간구하노라."

정신적으로 아픈 상태는 위 구절의 내용과 정반대인 경우이다. '완전한 나'의 궤도에서 이탈한 상태 말이다. 이러한 사람은 진정한 자아를 따르지 않으므로, 삶의 목적을 잃어버리고 삶을 이어갈 능력마저 상실할 것이다.

우리가 '완전한 나'를 이탈할 때마다 하나님의 영광으로부터 멀어진다. 이에 우리는 하나님의 형상을 비추는 대신, 무너진 세상의 모습을 반영하게 된다. 거울이 깨졌기 때문에 거기 비친 모든 것이 깨진 상태로 보이는 것이다. 우리는 더 이상 사랑과 자비의 하나님을 드러내지 못한다.

Chapter 3
정체성에 내재한 잠재력을 발견하다

하나님이 모든 것을 지으시되 때를 따라 아름답게 하셨고 또 사람들에게는 영원(하나님이 가지신 목적에 대한 감각)을 사모하는 마음(해 아래에 어떤 것도 만족시킬 수 없는, 오직 하나님만이 만족시키실 수 있는 마음)을 주셨느니라 그러나 하나님이 하시는 일의 시종(하나님의 종합 계획)을 사람으로 측량(이해)할 수 없게 하셨도다 (전 3:11, 확대역 성경)

'나는 하나님께서 일으킨 거룩한 불꽃이다', '나는 거룩한 능력의 일부를 소유한 존재이다', '나는 정신적·물리적 우주의 창조 과정에 완벽하게 직조되어 들어간 존재이다'라고 자신을 인식하는 사람은 양자적 실체의 잠재성을 측량하고, 그 실체를 형성해 가는 일에 참여하게 된다. 즉, 창조를 돕는 것은 그의 생득권이다.

— 헨리 스태프, 양자물리학자, 수학자

마음에 내재한 독특한 능력을 발견하면, '거룩한 본성의 깊이를 깨달아 아는 일'은 곧 자신의 가치를 깨닫는 일이 된다. 그러므로 마음의 능력이 얼마나 대단한지 아는 사람은 자신을 사랑하게 된다. 이러한 사람은 타인에게도 하나님의 거룩한 불꽃이 내재함을 인정하기 때문에 다른 사람을 사랑할 수밖에 없다(막 12:31). 그리고 결국, 자신 안에 있는 창조주의 놀라운 형상을 발견함으로 하나님을 사랑하게 된다(막 12:30-31). 시편 기자가 선포했듯, 인간은 '온전히 인간일 때' 자신의 창조주를 경배할 수 있다(시 148편 참고).[1] 자신의 독특함을 깨달아 '내가 얼마나 인간다운지'를 인식한 순간, 우리는 '나를 지으신' 영광의 창조주께 경배한다.

사랑 또는 두려움

'완전한 나'는 우리 안에 있는 이 거룩한 본성(하나님의 성품)을 드러내 준다. 우리의 강력한 생각은 자유의지를 통해 작동한다. 그런데 생각의 근원은 '사랑'이다(신 30:19, 고전 2:16, 13:13, 요일 4:8).

창조 본연의 인성은 기쁨, 평안, 인내, 친절, 온유, 충성, 절제, 긍휼, 안정, 영감, 소망, 기대, 만족 등의 요소로 구성되어 있다(갈 5:22-23). 이는 본질이 사랑이신 하나님께서 인간을 창조하셨기 때문이다. '사랑의 구역' 안에 거할 때(나는 창조 본연의 인성을 '사랑의 구역'이라 부른다), 우리는 '완전한 나'를 따라 행동한다. 그러므로 '완전한 나'를 따를 때, 우리에게서 창조주의 거룩한 본성이 나타난다.

이때 긍정적인 스트레스가 유발된다. 긍정적인 스트레스는 각성과 집중을 유도하는 좋은 스트레스이다(유해한 스트레스는 정반대의 작용을 한다. 부정적인 스트레스에 대해서는 7장에서 좀 더 자세하게 다룰 것이다). 긍정적인 스트레스는 참된 소망과 기쁨으로 인생의 여러 가지 문제를 대처하도록 도와준다. 어떠한 어려움이 닥쳐와도 우리는 소망과 기쁨으로 경주를 이어갈 수 있다(빌 2:16, 3:14).

그러나 '완전한 나'를 이탈할 경우, 우리는 '두려움의 구역'으로 들어가 유해한 스트레스를 경험한다. 두려움에서 기인하는 것은 증오, 분노, 쓴 뿌리, 화, 짜증, 용서하지 못함, 불친절, 근심, 자기연민, 시기, 질투, 집착, 비꼬는 태도 등이다. 무엇이든 우리가 가장 많이 생각하는 그것이 우리의 정체성으로 굳어진다는 것을 기억하라. 우리는 우리의 생각대로 변해 간다. 만일 우리가 가장 많이 생각하는 것들이 두려움의 구역 안에 있는 것들이라면, 우리는 건강을 해치게 된다(눅 6:45).[2]

사랑의 태도가 인간의 자연스러운 본연이고, 두려움의 태도가 부자연 또는 학습된 것이라는 연구결과가 있다. 과학자들에게 이러한 연구결과는 혁명과도 같다. 하지만 성경을 안다면, 이것은 조금도 놀랄 일이 아니다.[3] 사도 요한은 "사랑에는 두려움이 없고 온전한 사랑은 두려움을 내쫓는다"고 하였다(요일 4:18).

과거 수십 년 동안 과학자들이 사랑과 두려움의 생리(인체적 요인)와 심리(정신적 요인)를 분자 단위로 분석하고, 이를 유전적·후성유전적 차원에서 연구한 결과, 상세한 정보를 얻을 수 있었다. 사랑과 두려움은 여러 생각들로 구성된 서로 다른 두 개의 시스템이다. 우리에게 의식이 있는 한, 우리는 한쪽의 생각군(群)을 붙잡든지 아니면 다른 쪽의 생각군을 붙잡는다. 우리는 반드시 둘 중 하나를 선택한다. 사랑과 두려움이 공존할 수는 없다.

태도란 감정의 풍미를 내포하는 생각군이다. 좋은 감정 또는 나쁜 감정을 내포한 생각들의 집합인 것이다. 감정의 종류는 수없이 많지만, 그 모든 감정의 뿌리는 사랑과 두려움, 둘 중 하나이다. 그렇다면 어떤 과정을 거쳐 사랑 또는 두려움의 풍미가 우리의 태도에 스며드는 것일까? 답은 간단하다. 생각, 느낌, 선택을 통해, 즉 '완전한 나'를 통해서이다.

우리가 사랑 안에서 행동할 때, 부정적이고 유해한 생각들은 대규모로 자취를 감춘다. 기존에 학습된 부정적인 생각들이 뇌에서 사라지는 것이다. 이것은 과학적으로 입증된 사실이다. 우리는 부정적인 두려움을 염두에서 제거해 낼 수 있다. 어차피 두려움은 내재적 본성인 '완전한 나'의 기능과는 무관하다.

최근의 신경과학 연구결과, 우리가 '완전한 나'를 따라 행동할 때 뇌에서 분비되는 화학물질에 옥시토신이 포함된다는 사실을 알게 되었다. 옥시토신의 역할은 쉽게 말해 부정적이고 유해한 생각 덩어리를 문자 그대로 녹여 버리는 것이다. 옥시토신의 분비를 통해 유해하지 않은 새로운 두뇌 회로와의 접속이 가능해진다. 옥시토신이란 물질은 우리가 다른 사람들을 신뢰하고, 그들과 연합하고, 그들에게 손을 내밀 때에도 분비된다. 그러므로 우리가 사랑이라는 본연에 따라 행동하기로 선택할 때, 두려움은 제거된다! 온전한 사랑은 두려움을 내쫓는다.[4]

이때 도파민이라는 놀라운 화학물질이 옥시토신과 함께 작용한다. 도파민은 우리가 무언가를 기대하고 예상할 때, 분비된다. 어디까지나 상상일 뿐이지만, 당신이 누군가를 도와 시험을 잘 치르게 해준다고 상상해 보자. 이때, 당신의 뇌에서 도파민이 분비된다. 당신이 중재하여 사이가 틀어진 사람들의 관계가 회복될 때에도 도파민이 분비된다. 물론 오랫동안 씨름했던 문제를 갑자기 풀었을 때에도 도파민이 분비된다.

이렇게 분비된 도파민은 당신에게 고도의 각성효과를 선사하여 새로운 기억을 만들 수 있도록 도와준다. 이에 당신의 에너지, 흥미, 자신감, 수행 능력 등이 향상될 것이다. 실제로 도파민은 장기 기억을 만드는 데에도 기여한다.[5]

우리가 선한 일을 하거나 사람들을 사랑으로 대할 때, 엔돌핀과 세로토닌이 분비된다는 연구결과가 있다. 엔돌핀과 세로토닌이 분비되면, 우리는 좋은 기분을 느낀다. 이들 화학물질은 우리의 뇌를 해독하고 지혜와 열정을 북돋워 준다. 그러므로 사랑 안에서 행동하면, 우리는 이들 화학물질의 도움을 얻어 인생의 문제를 보다 성공적으로 해결해 나갈 수 있다. 다시 한 번 강조하지만, 마음의 태도가 물질에 영향을 미친다. 우리가 건강한 기대감을 품을 때, 뇌에서는 긍정적인 화학 반응이 일어난다.[6]

하지만 우리가 두려움을 끌어안을 경우(유해한 모드로 전환할 때), 상황은 정반대로 돌아간다. 우리는 화학적·신경학적으로 유해한 악순환 구조에 빠질 것이다. 이로써 우리가 내린 결정 및 이로 인해 시작된 여러 가지 반응들 또한 악영향을 받게 된다.[7] 이러한 부정적인 반응들을 외면한 채 방치해 두거나 의식적으로 제거하지 않는다면, 이는 과거 유해한 기억들의 검은 손에 자신을 자원하여 맡겨 버리는 것과 같다. 결국, '완전한 나'는 갇혀 버린다. 따라서 우리의 진정한 자아는 한동안 자취를 감출 것이다.

앞에서 나는 '자원하여'라는 표현을 의도적으로 사용했다. 왜냐하면 우리의 선택능력은 항상 생물학적 이치를 초월하기 때문이다. 이 책의 초반부에서 말했던 것처럼, 마음(생각)이 물질을 통제한다.

무의식의 영역 저 깊은 곳에서는 1초마다 대략 10^{27}개 정도의 행동들이 펼쳐진다. 수십억 개의 생각 덩어리는 독특한 풍미의 감정들에 연결되어 있다. 그리고 이러한 감정들은 태도를 구성한다. 그러므로 우리의 삶은 저마다 독특한 풍미를 나타낸다.

유해한 생각의 위험성

새로운 생각들이 생겨날 때마다 우리의 뇌는 기존의 생각 덩어리들을 참조한다. 기존의 생각 덩어리 중 일부는 새로 유입되는 정보를 소화할 수 있도록 도와준다. 그 결과 새로운 생각들이 의식의 영역으로 위치하게 되는데, 이러한 일련의 과정을 이해하는 것이 참으로 중요하다.

우리가 유해한 생각을 품거나 무언가 옳지 않은 것을 떠올릴 때, 혹은 유해한 감정과 연결된 생각 덩어리가 제거되지 않은 채 그대로 남아 있을 때, 우리의 뇌는 독성 화학물질을 폭포수처럼 쏟아낸다. 이에 우리의 마음과 몸은 유해한 스트레스 모드로 돌입한다.

유해한 스트레스 모드 안에서, 우리는 '완전한 나'의 궤도를 이탈한다. 그뿐 아니라 육체의 건강까지 위험에 빠진다. 혈관은 수축되고, 혈액 순환은 저하되며, 심혈관 질환 발생 가능성은 높아진다. 게다가 뇌로 공급되는 산소량도 줄어든다. 우리가 '완전한 나'를 이탈하는 순간, 우리의 몸과 뇌 안에서는 1,400여 개의 서로 다른 전기화학 양자 반응이 마치 벌집 쑤시듯 뒤엉킨 채 일어난다.

우리는 사랑과 두려움 사이에서 반드시 하나를 선택해야 한다. 성경에는 그 선택에 따른 심오한 차이가 자세히 설명되어 있다. 하나님께서는 다음과 같이 선포하셨다. "내가 오늘 하늘과 땅을 불러 너희에게 증거를 삼노라 내가 생명과 사망과 복과 저주를 네 앞에 두었은즉 너와 네 자손이 살기 위하여 생명을 택하고"(신 30:19). 전도서의 기자는 사람들에게 다음의 사실을 상기시켜 주었다. "하나님은 사람을 정직하게 지으셨으나 사람이 많은 꾀들을 낸 것이니라"(전 7:29).

하나님은 우리에게 참으로 놀라운 마음을 선사하셨다. 우리는 이 사실만으로도 기뻐하고 기뻐해야 옳다. 그러나 이와 동시에 마음에 내재한 능력을 사용할 경우, 이에 대해 반드시 책임져야 한다는 사실도 잊어서는 안 된다. 내 마음을 사용하는 사람은 '나'다. 따라서 그로 인한 결과를 책임질 사람도 '나'다. '나'는 선택에 따른 결과를 회피할 수 없다.

'완전한 나'의 생각, 느낌, 선택은 우리의 실존을 이루는 근본 요소이자 최상의 재료이다.

사랑에 접속되다

1920년대에 들어, 인간 존재와 정신에 대한 과학적 사고가 크게 전환되기 시작하였다. 당시의 담론은 인간에 대한 철학적·과학적 관점을 혁명적으로 변화시키는 데 일조했다. 그리고 그 여파는 지금까지 이어지고 있다. 이에 기여한 바, 덴마크 코펜하겐에서 열린 토론이 유명한데, 토론자는 베르너 하이젠베르크, 닐스 보어, 볼프강 파울리였다. 이들은 모두 노벨상 수상자이자 유일신 사상을 지닌 사람들로, 과거 3세기 동안 학계를 지배했던 뉴턴 물리학의 고전모델에 도전했다.

물론 아이작 뉴턴은 유신론자였다. 그는 "하나님께서 원하시면, 언제든 운동법칙을 취소하실 수 있다"고까지 말하였다. 하지만 그의 업적은 '기계론' 또는 '결정론'의 테두리를 벗어나지 못했다. 인간과 자연은 물리적·기계적 실체일 뿐이라는 것이 뉴턴 물리학의 골자이다.

그러나 1920년대 양자물리학이 대두됨과 동시에 과학자들은 기계적 결정론에 의심을 던지기 시작했다. 그들은 의도적인 생각, 느낌, 선택이 인간의 행동양식은 물론 신체구조에도 변화를 가져온다는 사실을 깨달았다. 바꿔 말하면, 우리의 신체구조나 행동양식이 유전자 등의 요소에 의해 미리 결정되어 있지 않다는 뜻이다.

외부 정보는 일정한 경로로 뇌에 유입된다. 유입된 정보는 뇌의 여러 구조물들을 통과하면서 '처리 과정'(정보처리 과정)을 거쳐 지식 창고에 쌓인다. 신경과학자들은 정보처리 경로를 구성하는 몇몇 중요한 뇌 구조물들을 발견했다. 뇌 시상은 송신 기지국 역할을 하고, 뇌 편도는 감정 인지를 보관하는 도서관과 같으며, 대상회피질은 의식적 평가 행위를 담당한다. 외부 정보가 유입되고 인식되고 평가될 때, 이들 뇌 구조물로 구성된 정보처리 경로가 활성화된다. 그리고 우리의 마음은 이 정보에 대해 어떤 반응을 보여야 옳은지, 보다 건강하고 적절한 대응 방안은 무엇일지 결정한다.

우리는 삶에서 일어나는 여러 가지 일들에 대한 반응으로 '생각'하고 '감정'을 느끼고 무언가를 '선택'한다. 그런데 본질상, 생각과 감정과 선택은 '양자 신호'이다. 정보가 뇌의 회로판(뇌의 구조물들)에 유입될 때, 생각, 감정, 선택으로 이뤄진 양자 신호는 뇌를 거치며 우리가 생각한 바를 뇌 안에 저장하게도 하고, 또 생각을 말과 행동으로 표출하게도 한다. 쉽게 말해, 양자 신호(생각)가 뇌를 거쳐 말과 행동으로 표현되는 것이다.

우리의 뇌에는 선조체라는 구조물이 있는데, 이것은 '긍정적 강화' 활동과 연관되어 있다. 긍정적 강화란, 보상과 같은 기분 좋은 자극을 부여하여 더 나은 행동을 유발하는 것을 뜻한다 – 역자 주. 즉, 선조체는 사랑과 연계된 구조물이다. 그래서 고요함, 평온, 좋은 느낌, 자신감, 자존감 등에 반응한다. 본질적으로 사랑에 속한 안정감이나 자신감은 선조체를 활성화시킨다. 이러한 감정이 양자 신호가 되어 뇌의 회로판을 통과하는 중 선조체를 자극하여 활성화시키는 것이다. 이와는 반대로 우리가 불안을 느낄 때, 뇌의 선조체는 활성화되지 않는다.

참고로 뇌의 선조체는 코카인 등의 중독성 약물에 의해서도 활성화되는데, 이것은 일종의 '거짓 활성화' 반응이다. 선조체에 거짓 활성화 반응을 일으키는 요소에는 현대의 미국식 식단도 포함된다. 사실, 오늘날의 미국 음식은 헤로인, 코카인, 알코올, 향정신성 의약품이나 담배보다 훨씬 더 중독적이다.[8] 이러한 물질은 일시적으로 사람의 기분을 좋게 만든다. 하지만 결국, 중독의 포승줄로 그 사람을 묶어 버린다. 그래서 한 번 좋은 기분을 맛본 사람은 더 자주 그 물질을 사용하게 되며, 그러다가 결국 그 물질에 의존해 버린다. 외견상, 중독은 이러한 물질들이 우리의 뇌를 유괴하는 현상과 같다. 하지만 중독을 그리 단순하게 설명할 수는 없다. 왜냐하면 중독의 유혹은 고통을 피하고픈 내면의 깊은 욕구(영적 욕구)와 맞닿아 있기 때문이다. 그러므로 중독을 극복하려는 마음가짐과 단호한 선택만이 중독 성향을 끊어내는 가장 효율적인 방법이다.[9]

그런데 우리는 원래 하나님께 중독되도록 설계되었다. 하나님만의지하고, 하나님께 온전히 묶이도록 지음 받은 것이다(시 42:2, 63:1, 73:25, 119:20, 사 26:9, 요 4:13-14, 6:35, 계 21:6). 하나님은 우리와 친밀한 관계를 맺기 위해 우리를 창조하셨다. 그러므로 끊임없이 기도하고, 끊임없이 성령님과 대화하는 것 말고는 우리 내면의 본연적 갈증을 해소할 방법이 없다. 우리는 계속 그분께 중독된 상태여야 한다. 그래야만 행복하다! 매일같이 하나님께 우리의 마음과 몸을 산 제물로 드려야 한다(롬 12:1).

중독 물질 사용은 쾌감을 유발하는 화학물질의 분비로 이어진다. 이때, 쾌감의 유혹은 매우 강력하다. 그래서 중독 물질을 끊기가 어려운 것이다. 하지만 "우리 안에 계시는 이는 세상보다 더 크다"(요일 4:4). 이 사실을 잊지 말라. 우리는 하나님이 주신 능력으로 유해한 삶의 패턴을 끊어낼 수 있다. 이것은 우리가 '완전한 나' 안에 거할 때, 가능한 일이다(롬 8:37-39).

두려움에 갇히다

우리 모두는 '완전한 나'의 궤도를 이탈할 경우 어떤 일이 일어나는지 잘 알고 있다. 정도의 차이는 있겠지만, 다들 그 영향력을 체험해 보았기 때문이다. 사랑에서 이탈하여 두려움에 사로잡히는 신세 말이다.

'완전한 나'를 이탈한 경험은 마음에 깊은 상처를 남긴다. 이러한 일이 일어나면, 우리는 그동안 해왔던 선택과 앞으로 할 선택을 바탕으로 문제를 다룬다.

우리는 의식적이고 인지적인 평가를 통해 두려움을 통제할 수 있다.

"하나님이 우리에게 주신 것은 두려워하는 마음이 아니요 오직 능력과 사랑과 절제하는 마음이니"(딤후 1:7). 이 말씀을 실제로 믿으라. 그렇지 않으면, 우리는 무의식 속의 유해한 생각에 지배당한다. 오랜 시간에 걸쳐 악한 생각을 반복하면 그것이 습관으로 자리하는데, 이러한 습관은 뇌와 몸을 유해한 스트레스 상태로 밀어 넣는다. 결국 두려움을 통제하는 대신 그것을 더 키워내고, 그 결과 우리의 뇌와 몸 안에서 유해한 스트레스 반응이 증가한다.

우리가 두려움에 집중하고 그것을 묵상하면, 우리에게서는 두려움의 증상이 나타난다. 심지어는 별다른 자극이 없더라도 극심한 두려움 또는 공황 상태에 빠질 수 있다. 외상후 스트레스장애를 앓는 사람들의 경우가 그렇다. 외상의 '기억'이 소환된 순간, 마치 그들의 눈앞에 당시의 참사가 재현되는 듯하다. 심지어, 수십 년이 지난 사건이라도 말이다. 오래전에 끝난 일이므로 더 이상 위협적인 요소는 없지만, 두려움에 사로잡히면 그 당시 보였던 반응이 그대로 반복된다. 그리고 두려움의 태도(두려운 감정이 달라붙은 생각 덩어리들)는 우리 몸속에 근심을 유발하는 화학물질을 만들어 낸다.

이처럼 우리의 생각이 뇌의 화학구조를 바꿔 놓는다. 이때 75-100조 개나 되는 인체세포가 양자의 속도로 영향을 받는다.[10] 생각의 변화와 연이어 일어나는 뇌 화학구조의 변화는 즉각적인 영향력을 발휘한다. 말하자면, 변화의 영향은 시공을 초월한다고 할 수 있다. 유해한 스트레스를 제대로 해소하지 못하거나 그때의 경험을 끝없이 되뇌고 곱씹을 경우, 정신병을 얻을 수도 있다. 기억하라. 무엇을 생각하든, 가장 많이 생각하는 그것이 자신의 정체성으로 굳어진다는 사실을 말이다.

〈그림 3.1〉
사랑 나무

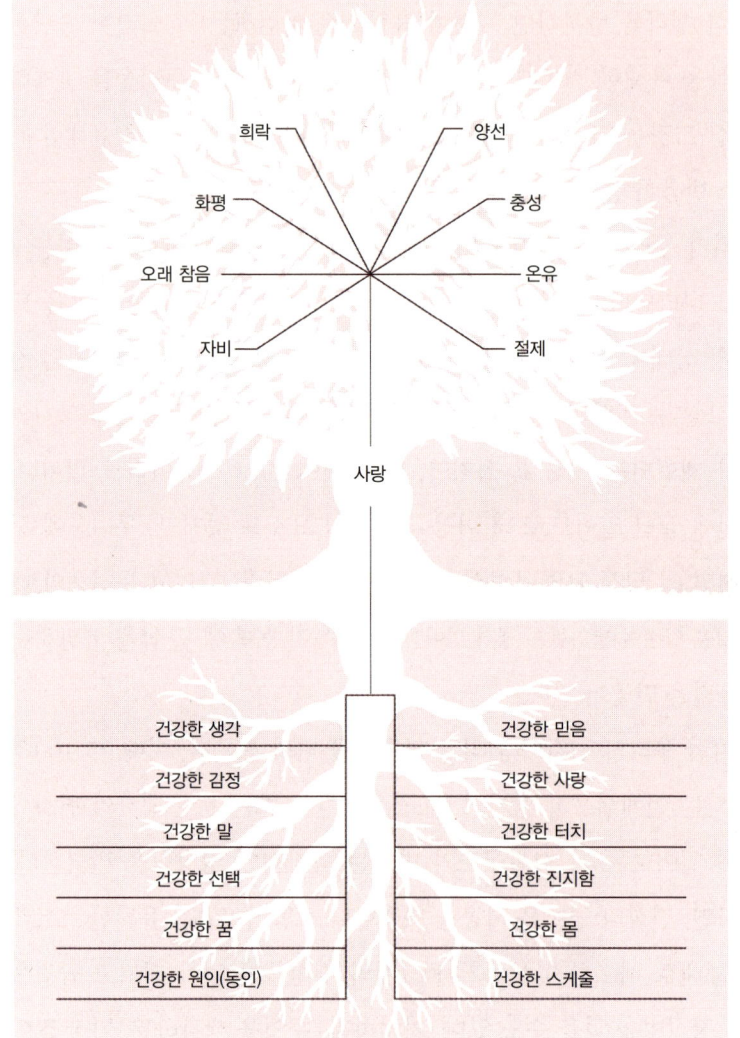

<그림 3.2>
두려움 나무

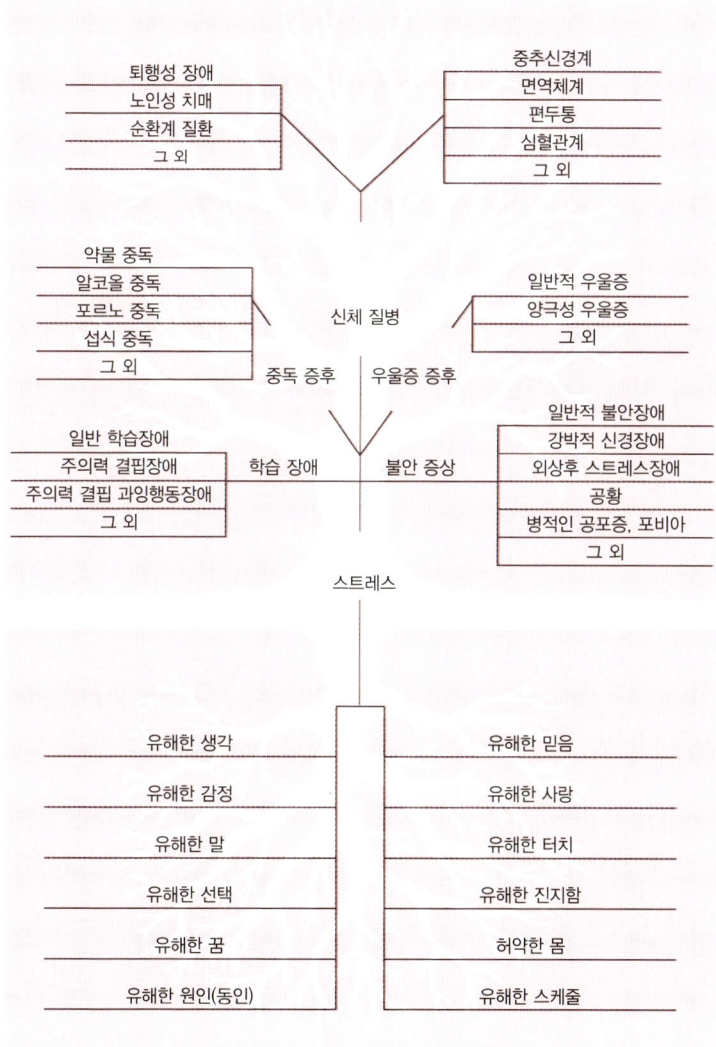

'완전한 나'를 이탈하여 정신병으로

정신병 mental ill health 은 질병이 아니다. 정신병은 '정신적 외상'(트라우마)이다. 우리는 인생의 환경이나 여러 가지 사건들 때문에 쇼크를 받는다. 그런데 이를 제대로 다루지 않을 경우, 우리는 옳지 않은 생각(사건에 대한 옳지 않은 반응) 안에 오랫동안 머무르게 된다.[11] 그러다가 결국 '완전한 나'를 이탈해 버린다. 이때 야기되는 신경학적 혼란은 다양한 마음의 병으로 이어진다. 안타깝게도 사람들은 마음의 병에 수반되는 여러 증상들을 생물학적(육체적) 질병으로 오인해 왔다. 심지어 여기에 괴상한 병명을 만들어 붙이기까지 했다.[12]

생각은 단백질로 이루어진 '실체'(물질)로, 뇌 속의 다양한 구조물들을 점유하고 있다. 생각이 물질을 만들어 내는 과정은 다음과 같다. 반복되는 생각을 통해 유전자 발현 자극 신호가 방출된다. 이에 유전자 발현 과정이 시작되고, 뇌 구조물을 형성하는 단백질이 만들어진다.

삶 속에서 일어나는 사건에 대해 유해한 반응을 나타낼 경우(실제 사건이 일어나지 않았어도 그것을 상상하고 부정적으로 반응하는 경우까지 포함하여), 우리의 몸에는 부정적인 스트레스가 유발된다. 과거에 일어난 일은 물론, 앞으로 일어날지 모를 일들을 매일같이 염려하면, 우리 몸은 부정적인 유전자 발현 자극 신호를 방출한다. 이 신호에 유전자 발현 과정이 시작되고, 결국 부정적인 물질(뇌 구조물)이 만들어진다. 이처럼 유해한 생각으로 시작된 유전자 발현 과정은 유해한 물질의 생성으로 귀결된다.

유해한 생각이든 건강한 생각이든, 일단 생각이 유전자 발현 과정을 거치면, 그 생각은 더욱 큰 에너지를 얻어 장기 기억으로 전환된다. 만일 유해한 생각이 장기 기억으로 전환된다면, 우리의 마음에 불편한 감정이 일어날 것이다. 이때 우리 몸은 불편한 감정을 느낌과 동시에 유해한 스트레스 반응을 나타낼 것이다. 이 모든 과정은 거의 자동적이다. 우리가 생각을 통제하기로 선택하지 않는 한 말이다.

〈그림 3.3〉
장애로 이어지는 과정

야고보서 1장 13-15절

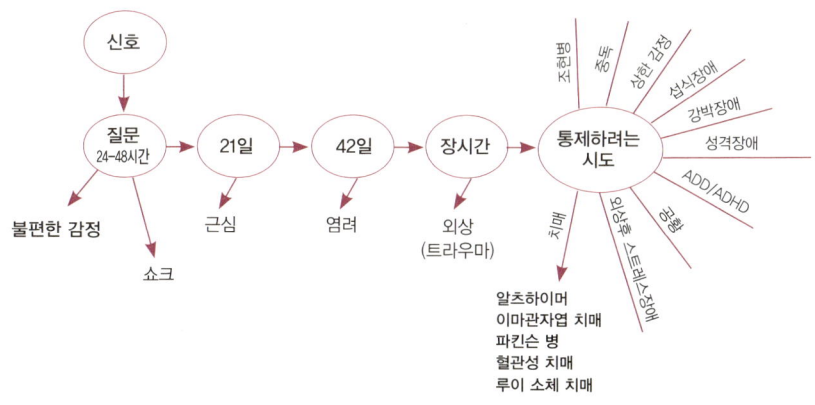

통제되지 않은 불편한 감정을 3주(21일) 동안 방치하면, 그것은 근심으로 전환된다. 그리고 매일같이 근심하며 유해한 생각을 곱씹으면, 그 다음 21일 안에 근심은 염려로 바뀐다. 그렇게 6주가 더 지나면, 염려는 외상(트라우마)으로 악화된다.

지금까지의 과정을 정리하면, 다음과 같다. 부정적인 생각에 유전자 발현 자극 신호가 방출되고, 유전자 발현 과정을 거쳐 불편한 감정(단백질)이 생성된다. 이후 불편한 감정은 근심으로, 근심은 염려로, 염려는 트라우마로 이어진다. 이 과정이 오랜 시간 진행될 경우, 생각, 느낌, 선택을 통제하는 일은 어려워진다.

이같이 생각, 느낌, 선택의 통제가 어려워진 것은 우리가 '완전한 나'의 궤도를 이탈했다는 증거이다. '완전한 나'로부터 이탈하면, 우리는 그림 3.3에서 보는 것과 같이 조현병이나 우울증으로 이름 붙여진 증상을 겪게 된다.

조현병이나 우울증이 비록 병으로 불리기는 하지만, 엄밀히 말해서 질병은 아니다. 다만, 그 기저에 깔린 여러 가지 문제로 인해 겉으로 드러난 병처럼 보이는 현상일 뿐이다. 당신은 이러한 증상들을 병으로 인정하거나 "나는 조현병 환자입니다"라며 스스로를 낙인찍어서는 안 된다. 우울증이나 조현병 등의 병명은 당신의 부정적 체험을 간략해 놓은 용어일 뿐이다.

이 사실을 좀 더 명확하게 살피기 위해 고안한 '건강을 해치는 모델' 도식을 보자. 유해한 생각이 더 많은 에너지를 공급받을수록 그 생각은 점점 크게 자라난다. 결국 우리는 유해한 생각 속에 더 깊이 빠져 든다. 그리고 이러한 스트레스는 유해한 열매를 맺는다. 이에 대한 이해를 돕기 위해 앞의 사랑 나무, 두려움 나무를 참고하라.

이 장을 시작하면서 말한 것처럼 유해한 생각(두려움)은 '사랑의 회로'를 왜곡시킨다. 잊지 말라. 우리는 사랑을 위해 지음 받았다. 그런데 살면서 알게 모르게 두려워하는 법을 배워 버렸다.

'완전한 나'로 되돌아가다

내가 처한 환경과 내게 일어난 일들에 어떻게 반응하는 것이 옳은가? 올바른 반응은 무엇인가? 한 마디로 '사랑'이다! 신경학적 '사랑의 방법'이 우리가 취해야 할 올바른 반응이다! 신경학적 사랑의 방법은 "모든 상황을 하나님께 맡기기로 선택하고, 두려움에 굴복하지 않기로 다짐하는 것"이다. 사랑으로 반응할 때, 우리는 마음 깊이 숨어 있는 '유해한 (두려움의) 생각 덩어리'를 찾아내 처리할 수 있다. 기억하라. 사랑은 두려움보다 훨씬 더 강하다![13]

우리는 사랑에 접속되어 있다. 사랑이 우리의 본연인 것이다. 우리는 사랑의 지배를 받아야 한다.

과거에 선택한 반응이 무엇이든 상관없이, 고통스럽고 유해한 생각은 언제든 구축될 수 있다. 아주 오랫동안 유해한 감정을 품어서 부정적인 느낌에 익숙해진 상태라면, 그러한 감정들이 정상처럼 여겨질 것이다. 그렇다고 해도 비관할 필요는 없다. 뇌가 지닌 신경가소성 덕분에 얼마든지 유해한 생각들을 수시로 분별해 내고 처리할 수 있다.

예를 들어, 당신이 오랫동안 수학 과목을 무서워했다고 가정해 보자. 수학 강의실에 들어서는 순간, 당신의 마음에는 염려와 두려움이 차오른다. 그리고 수학 과목을 증오하기에 이른다. 이러한 부정적 태도 때문에 당신은 수업 시간 내내 어떠한 정보도 받아들이지 못한다.

이럴 경우, 부정적인 태도에 반응하지 말라. 부정적인 태도가 표출되려 하면, 잠시 멈추고 생각하라. 그리고 가능한 그 부정적인 태도를 저 멀리 던져 버리라. 이후 스스로에게 긍정적인 말을 건네 보라. 이를테면, "나는 수학을 잘 못한다고 생각해. 그래서 수학을 싫어해. 사실이야. 하지만 나는 이 두려움을 극복하겠어. 어려운 개념들을 이해할 때까지 계속 질문하며 두려움과 대면하겠어!" 이렇게 말이다. 물론 처음에는 이 방법이 통하지 않을 수도 있다. 사실이 그렇다. 아무래도 진정한 변화는 시간이 걸리는 법이기 때문이다. 그러므로 반복하고 또 반복하라. 이것이 마음을 새롭게 하는 방법이다(롬 12:2).

특정 정보를 제대로 수용하고 새로운 기술을 올바르게 활용하기까지, 우리는 일정한 간격을 두고 최소 일곱 번 이상 연습을 반복해야 한다. 적어도 일곱 번 반복하라. 이것은 과학 통계가 전해 주는 조언이다.[14]

태도를 통제하기까지는 대략 63일이 걸리는데, 처음 4일이 가장 어렵다. 포기하지 말라! 삶 속에서 경험하는 모든 일이 그렇듯, 참된 변화 역시 끈질긴 과정이다. 오랜 시간과 노력을 들여야 하지만, 그 결과는 참으로 놀라우며 충분히 노력할만하다. 이 과정을 견디면, 마침내 당신은 뇌의 사랑 회로를 활용하여 이성과 감정의 균형을 잡아갈 수 있다. 이는 모든 생각을 사로잡고(고후 10:5) 마음을 새롭게 하는(롬 12:2) 큰 걸음이다.

감정 선택하기

앞에서 언급했듯이 이 세상에는 사랑 아니면 두려움, 이 두 가지 종류의 감정밖에 없다. 다른 모든 감정은 이 두 개의 뿌리에서 기인하는 것들이다. 이들 두 뿌리에서 파생된 각각의 감정은 저마다 독특한 화학적 특징을 지니고 있다. 다시 말해서 인간의 모든 생각과 감정이 고유한 화학 표식을 지닌다는 뜻이다. 이를테면, 당신이 어떤 생각을 품을 경우 그 생각에 따른 특정 화학물질이 체내에 분비되는 것이다. 그리고 당신의 뇌와 몸은 그 화학물질에 반응한다. 이처럼 생각은 화학 반응을 수반하는 느낌으로 변화된다.

우리의 생각과 감정이 독성을 발하거나 감정적 균형점이 무너질 경우, 우리는 사랑으로부터, '완전한 나'로부터 이탈하게 된다. 이성과 감정의 균형이 무너져 감정이 지배할 경우, 신경화학물질의 급격한 분출로 인해 감정은 두려움 쪽으로 돌진하기 시작한다. 그 결과, 우리의 몸은 스트레스 모드로 돌입한다.

통제를 벗어난 감정은 사고 능력을 완전히 가로막는다. 이러한 감정에 순복할 경우, 우리의 뇌 속 상황은 그야말로 화학물질의 대혼돈이다. 화학물질이 제멋대로 분출하기 때문에 당신의 마음은 안개 낀 하늘처럼 흐릿해지며, 얼마 안 있어 당신은 집중력을 잃는다. 누군가가 당신에게 무슨 말을 하는 것 같은데, 입모양만 보일 뿐 아무 소리도 들리지 않는다.

성경은 우리에게 "모든 생각을 사로잡고, 모든 감정을 통제하라!"고 명령한다. 그러나 우리는 이 명령 앞에서 주춤한다. '과연 감정을 통제하는 일이 가능하기나 할까?' 하지만 기억하라. 어떤 요소로 '나'라는 존재를 구성할지는 전적으로 나의 선택에 달려 있다. 이것은 과학적인 사실이다. 당신은 '내가 선택한 요소들'이 '나의 정체성'을 구성한다는 사실을 이해하는가? 그렇다면 자신에게 변화의 능력이 있다는 사실도 인정할 것이다. 우리는 하나님께서 선사하신 '완전한 나'를 선택하여 살아갈 수 있다. 상황이 어떠하든 상관없다. 우리에겐 선택의 기회가 있다.

잠시 시간을 내어 어떤 순간에 자신의 감정이 폭발하는지 생각해 보라. 그리고 감정이 통제 영역 밖으로 이탈할 경우, 어떤 느낌을 받는지 기억해 보라. 이 같은 왜곡된 감정에 연료를 주입하는 것은 두려움이다. 만일 당신이 균형을 되찾기로 선택하지 않는 한, 두려움은 뇌 전두엽의 통제 기능을 마비시킬 것이다. 이후 당신의 감정은 롤러코스터를 탄다. 이처럼 감정의 롤러코스터에 올라탄 채 살아가는 삶은 그야말로 재앙이다. 그것은 '완전한 나'를 무너뜨리는 일과 같기 때문이다. 물론, 당신은 감정의 롤러코스터를 타지 않아도 된다. 누구도 이를 강요하지 않는다. 전적으로 당신의 선택에 달렸다.

게놈과 '완전한 나'

인간 게놈 생존활동에 필수적인 유전 정보가 들어 있는 한 쌍의 염색체를 말하며, 유전자 'gene'과 염색체 'chromosome'의 합성어이다 – 역자 주 의 조절 기능에 대한 연구결과 및 후성유전학 연구결과는 '생각'이 지닌 힘을 넌지시 강조한다. 생각은 우리의 뇌와 몸에 변화를 일으킬 만큼 강력하다.[15] 신흥 후성유전 과학은 우리의 결정에 따라 정신적·신체적 건강이 좌우된다는 사실을 부각시키기 시작하였다. 후성유전학은 '인간은 생물학적 기계이다'라는 기존의 과학과 대치된다. 기계론적 관점으로 인간을 바라봤던 그간의 주류 과학에 도전장을 내민 것이다.[16]

후성유전학은 '주어진 환경'보다 그에 대한 우리의 '반응'에 주목한다. 다시 말해, 환경보다 반응을 중요시하는 것이다. 참고로 여기서 말하는 반응 능력은 특정 환경에 노출될 때 우리가 생각하는 모든 것, 우리가 이해하는 모든 것을 포함한 모든 반응을 아우른다.[17] 생각과 감정은 햇빛에 노출되는 경험, 운동, 음식 섭취 등 우리 몸에 닿거나 집어넣기로 선택한 모든 것과 함께 DNA 발현에 직접적인 영향을 미친다.[18] 갈수록 점점 더 많은 연구자들이 인간의 사고방식과 라이프스타일에 따른 DNA의 메틸화, 아세틸화 반응에 집중하고 있다.[19] 결론부터 말하자면, 우리가 유해한 생각을 할 경우, 유전자 발현에 변화가 생긴다. 이것은 특정 식단을 선택하거나 화학물질, 오염물질에 노출될 경우 우리의 유전자에 변화가 생기는 것과 같다.

유전자 집합체의 97% 이상은 조절하는 방식으로 생명유지 기능을 수행한다. 특히 게놈은 유전자를 조절하는 스위치처럼 작동하며 나머지 3%를 통제한다. 이러한 기능은 언어 기능과 같아서 유전자 속의 DNA는 생각이라는 언어에 반응하도록 설계되어 있다. 참고로 DNA는 생각뿐 아니라 생각의 최종 산물인 말에도 반응하고, 그 외 여러 생물학적 신호에도 반응한다.[20] 우리는 말씀으로 세상을 존재하게 하신 하나님의 강력한 형상을 따라 지음 받았다(창 1:3, 6, 9, 요일 1:1). 그런 하나님께서 말과 언어의 능력을 우리 안에 심어 놓으셨다. 그래서 우리 역시 말과 언어의 능력을 소유하고 있다(전 7:29, 딤후 1:7).

요한복음 1장 1절에 등장하는 '말씀'은 헬라어 '로고스'의 역어인데, 로고스의 원래 뜻은 '이성', '지성', '지적 능력'이다. 그러므로 '완전한 나'를 따라 살아갈 때, 우리는 생각, 느낌, 선택의 능력 곧 로고스의 능력을 발휘하게 된다. 로고스의 능력은 DNA를 통제하는 스위치(언어)에도 영향력을 행사한다. 당신이 '완전한 나'를 따라 긍정적인 말과 긍정적인 생각과 느낌, 긍정적인 선택으로 DNA를 활성화시키면, 뇌 안에서는 긍정적 구조 변화가 일어난다. 쉽게 말해, 지적 능력과 지혜가 풍성해지는 것이다.

논리적으로 따져 보면, 그 반대 또한 가능하다. 왜냐하면 우리가 '완전한 나'의 궤도를 이탈할 때에도 DNA의 스위치가 작동하여 변화를 일으키기 때문이다. 그러나 부정적 언어나 사고에서 비롯된 자극 신호는 유해하므로, 변화는 하나님의 형상과 정반대 방향으로 일어난다. 부정적인 말과 사고 역시 단백질 접힘에 실질적인 영향을 준다는 것을 기억하라 단백질은 아미노산의 복합체인데, 각각의 단백질마다 고유한 접힘 현상이 나타난다 – 역자 주. 지혜와 대척점에 서 있는 유해한 생각은 뇌를 부수고 파손시킨다.

탁월한 양자물리학자인 헨리 스태프는 다음과 같이 말하였다.

> 인간에게 내재한 자유로운 선택 능력은 신이 우주를 창조할 때 사용한 것으로 보이는 자유 선택 능력의 축소판이라 할 수 있다. 그동안 학계에서는 인간에게 '자유 선택'이 있다는 주장과 그에 대한 반박이 팽팽하게 맞서왔는데, 양자물리학이 '인간의 자유 선택'을 지지해 주었다. '자유 선택'이란 것이 존재할 가능성을 지지해 준 것이다.
>
> "인간에게 자유 선택이 있다"는 말은, 강력한 신이 존재하여 자신의 자유 선택에 따라 우주를 창조하고 또 자기 형상을 닮은 존재들에게 그 선택 능력을 전해 주었다는 개념과 일치한다.
>
> 인간은 이성적 판단을 바탕으로 자유롭게 선택한다. 그리고 그 선택은 그 자신에게 물리적 영향을 미친다. 인간 스스로 선택하고 책임을 져야 한다는 뜻이다. 적어도 인간에게 자유 선택 능력이 있다는 점에서 그렇다.[21]

우리의 의식적인 노력(선택)은 우리의 뇌와 몸에 영향을 미친다. 이는 하나님의 '거룩한 능력'이 우리의 '설계도'에 내재하기 때문이다. '완전한 나'의 선택 곧 '자유의지'는 나의 자존감에 뿌리를 박고 있다. "나는 가치 있는 존재야", "나는 중요한 사람이야", "내 생각은 중요해"와 같은 식으로 표출되는 자존감이 자유의지, 자유 선택의 근간을 이룬다.

선택의 '힘'은 굉장하다. 실제로 우리의 생각과 감정과 선택은 물질을 변화시킨다. 우리는 하나님이 창조하신 피조계의 일부이자 이 땅의 청지기이다. 그러므로 우리는 생각, 감정, 선택을 통해 이 세상에 선한 영향을 끼쳐야 한다. 이것이 우리가 해야 할 일, 하나님께서 우리에게 맡기신 '성경적 청지기'의 임무이다. 우리는 이 일을 매우 진지하게 생각하고 책임져야 한다.[22]

마음과 뇌의 연계성

우리는 특별히 "세상의 빛이 되라"는 예수님의 명령을 주목해야 한다 (마 5:14). 빛은 양자$_{quanta}$ 또는 광자$_{photon}$로 불리는 에너지 다발의 비물리적 파장이다. 쉽게 말해 빛은 에너지, 하나님의 에너지이다. 그 에너지가 우리의 DNA에 내재한다.[23]

천지가 창조될 때, 하나님의 에너지가 실체화되었는데, 그것이 바로 '빛'이다. 그리고 그리스도의 십자가를 통해 우리의 DNA에 내재하던 하나님의 에너지가 실체화되었다. "보이지 않는 것들의 증거"(히 11:1)가 나타난 것이다.

하나님께서는 시간과 공간을 창조하셨다. 논리적으로 볼 때, 시공의 창조자가 시공 안에 갇힐 수는 없다. 따라서 하나님은 시공을 초월하여 존재하신다. 하나님은 우리에게 필요한 모든 것을 공급하셨고, 공급하고 계시며, 앞으로도 공급하실 것이다. 우리는 하나님께서 주신 지성으로 그분이 제공하시는 것들을 받을 수 있다. 우리가 '완전한 나'를 따라 선택할 때, 하나님으로부터 공급을 받는다.

하나님은 우리에게 영감을 주신다. 우리는 하나님의 뜻(그분의 영화로운 생각)을 드러내기 위해 어떤 '재료'를 올바르게 혼합해야 할지 부지런히 조사하고 탐구해야 한다. 이는 과학 영역에서나 우리의 삶에서나 마찬가지이다. 예를 들어, 하나님은 성령을 통해 우리에게 거룩한 영감을 주신다. 영적 자극, 또는 영적인 '번뜩임'을 주시는 것이다. 하나님께 영감을 받은 사람은 자신의 지적 능력을 동원하여 '완전한 나'를 탐구하기 시작한다. 이러한 노력을 통해 우리는 하나님이 만드신 자연계가 어떻게 작동하는지, 사람이 어떻게 생명을 이어가는지 깨닫는다.

하나님이 만드신 피조계는 한 마디로 '글로벌 정보 시스템'(정보로 구축된 세계)이다. 원래 이 세계는 사랑 충만한 일들이 일어나도록 설계되었다. 그 시스템 안에서 인간이라는 수행자의 선택을 통해 세계 곳곳에서 사랑 충만한 일들이 일어날 것이다. 나는 이러한 현상을 '우주가 양자적 상태에 있다'고 말한다.[24]

우리가 사랑을 실천할 때, 우리의 뇌는 하나님께서 디자인하신 대로 반응한다. 특히 뇌 공학 기술이 전해 준 정보에 의하면(물론 인간의 기술에는 한계가 있다는 사실을 인정해야 한다), 우리가 사랑을 실천할 때, 뇌의 다른 어떤 부위보다 선조체가 활성화된다. 이때 신경전달물질인 펩티드 단백질과 호르몬이 분비되어 우리는 기분 좋은 느낌을 갖게 된다. 그래서 사랑으로 행동하면, 우리는 어떤 상황, 어떤 환경에서도 기뻐할 수 있다. "내 형제들아 너희가 여러 가지 시험을 당하거든 온전히 기쁘게 여기라"(약 1:2). 야고보 사도의 "기뻐하라"는 권면은 결코 불가능한 일이 아니다. 왜냐하면 뇌의 회로판은 우리 마음의 활동에 물리적으로 반응하기 때문이다. 우리의 뇌는 마음 곧 지식, 의지, 감정에 반응한다. 마음은 '완전한 나'의 자유의지를 통해 물질을 변화시킨다.

마음과 뇌의 연계성을 보여 주는 또 다른 예는 감정의 화학적 특징이다. 독특한 화학 표식을 지닌 여러 가지 감정은 우리의 생각 안에서 서로 뒤얽힌 채 존재한다. 그러므로 우리가 생각할 때마다 우리 몸은 그에 적합한 화학물질들을 분비하고, 이렇게 분비된 화학물질은 특정한 감정과 신체 반응을 불러일으킨다. 이때 단백질에 각인된 전자기적 양자 에너지 덩어리가 생각을 형성한다. 이때 형성된 생각에는 '화학물질 전령'이 달라붙어 있다. 그리고 이렇게 형성된 생각은 기억 회로를 구축한다. 결국 이 모든 것이 한데 어우러져 태도를 만들어 내는데, 태도의 종류는 단 두 가지, 사랑 또는 두려움뿐이다. 쉽게 말해, 생각 덩어리에 사랑의 감정이나 두려움의 감정을 추가하면 태도가 되는 것이다.

우리는 이렇게 형성된 태도(사랑 또는 두려움)를 겉으로 표출한다. 말과 행동은 태도가 '완전한 나'를 통해 겉으로 표현된 실체이다. 나쁜 태도는 우리가 '완전한 나'를 따라 살지 않는다는 증거이며, 좋은 태도는 우리가 '완전한 나'를 따라 살아간다는 증거이다. '나쁜 태도'는 생각의 프로세스를 왜곡한다. 반면, '좋은 태도'는 생각의 프로세스를 증진시킨다. 필터와 같은 태도가 '완전한 나'의 활동을 촉진하거나 가로막는 것이다.

두려움 등의 유해한 생각을 품은 상태에서 자신만의 독특한 방법으로 특정 정보를 처리할 경우, 당신은 그 정보를 나쁜 태도(유해한 생각)의 필터로 걸러 뇌 속에 저장한다. 유해한 생각과 그것이 빚어낸 나쁜 태도는

'완전한 나'의 기능을 방해한다. 그리고 당신은 결국 '완전한 나'의 궤도에서 이탈한다. 근본적으로는 사랑의 테두리를 벗어나게 되는 것이다. 그 결과 지혜롭게 생각하고 행동하는 능력은 크게 저하된다. 게다가 당신은 마음과 몸의 건강을 유지할 수 없게 된다.

당신이 많은 시간을 들여 품어온 생각과 오랫동안 느낀 감정과 선택은 당신의 태도에 고스란히 반영되어 있다. 그래서 태도를 보면, 그 사람의 영적 성장 정도를 알 수 있다. 평상시 당신이 사랑과 절제하는 마음을 어떻게 발휘하는지도 태도를 보면 알 수 있다.

물론 당신은 고도의 테크닉으로 자신의 태도를 감출 수 있다. 마치 '완전한 나'의 모습대로 살아가는 것처럼 가장할 수 있다는 뜻이다. 하지만 그렇게 하는 것도 어느 정도일 뿐, 언젠가는 본래의 모습이 드러나게 되어 있다.

무엇보다 하나님의 형상을 닮은 '완전한 나'의 모습대로 살아가는 것이 중요하다. 이를 위해 당신은 나쁜 생각, 나쁜 태도, 두려움 등의 장애물을 제거해야 한다. 이것은 제안이 아니라 명령이다.

사랑은 두려움보다 강하다

부정적인 생각과 감정과 선택을 통해 두려움에 에너지가 주입될 경우, 두려움은 매우 강력한 힘을 발휘한다. 그러나 사랑이 훨씬 더 강하다는 사실을 이해하는 것이 중요하다.

본래 우리의 뇌는 사랑에만 반응하도록 설계되었다. 각 사람은 저마다 '평안'을 느끼는 전기화학적 균형점을 갖고 있다. 비유하자면, 평안이란 사랑의 태도(완전한 나) 안에 머문 상태에서 달리는 완벽한 공회전과 같다.

우리는 삶 속에 일어나는 사건이나 주변 사람 등의 환경을 통제할 수 없다. 그러나 주어진 환경에 어떻게 반응할지는 선택할 수 있다. 그러므로 어떤 상황과 환경에도 얼마든지 평안을 느낄 수 있다. 이 사실을 기억하고 끊임없이 평안을 추구하기 바란다.

그러나 우리가 유해한 생각을 새로 만들어 내거나 기존의 유해한 생각('완전한 나'를 이탈한 두려움의 태도)을 재가동하면, 사랑은 방해를 받는다. 몸과 마음의 규칙적이고 안정적인 양자 및 전기화학적 균형은 깨지고, 우리는 불편함을 느낀다. 이후 우리는 의식적으로나 무의식적으로 그 균형점을 되찾기 위해 노력한다. 이때 자신이 느끼는 '불편한 구역'이 무엇인지 확인해 보는 것이 중요하다. 왜냐하면 우리의 태도가 의식적으로나 무의식적으로 행하는 정신 활동이 '불편한 구역'이기 때문이다. 이에 대해서는 뒤에서 좀 더 자세히 이야기하겠다.

두려움에 집중할 경우, 당신은 '완전한 나'의 발현을 방해하게 된다. 그 결과 '내가 누구인지' 깨닫지 못한다. 당신의 뇌와 몸은 자신의 부정적인 선택에 반응할 것이며, 사랑의 선순환 회로는 두려움의 악순환 회로로 변질될 것이다. 이처럼 두려움은 강력하다. 그러나 사랑은 그보다 더욱 강력하다!

모든 것이 당신의 선택에 달려 있다. 당신은 자신에게 주어진 환경을 바꿀 수 없다. 그러나 동일한 환경과 여건에서 사랑으로 반응할지, 두려움으로 반응할지는 선택할 수 있다.

바울은 다음과 같이 권면한다. "너희 안에 이 마음을 품으라 곧 그리스도 예수의 마음이니"(빌 2:5). 하나님은 사랑이시다(요일 4:8). 그러므로 우리가 품어야 할 그리스도 예수의 마음은 사랑, 곧 사랑에만 반응하는 마음일 것이다. 과연 이런 마음을 품는 것이 가능할까? 지금껏 두려움을 따라 행해 왔다면, 이 일이 불가능해 보일지도 모른다.

사실, 사랑과 두려움을 동시에 끌어안는 일은 불가능하다. 사랑을 행하면 두려울 수 없고, 두려움을 느낄 때는 사랑할 수 없다. 한 사람이 두 주인을 섬기지 못한다는 말씀은 하나님과 재물에만 적용되지 않는다(마 6:24, 눅 16:13).

사랑을 추구할 경우, 우리는 부정적으로 내달릴 법한 생각들을 지켜 낼 수 있고, 성령의 도움을 받아 우리의 마음을 새롭게 할 수도 있다(롬 12:2, 고전 13:4-13, 고후 10:5). 나의 독특한 선택은 나 자신에게는 물론 내가 속한 세상과 주변 사람들에게 강력한 영향을 미친다. 이 사실을 이해할 때, 우리는 비로소 '왜 사랑 안에서만 행동해야 하는지' 깨달을 수 있고, 그에 따른 책임감도 품을 수 있다.

이 세상에는 다른 사람이 대신해 줄 수 없는, 오직 당신만이 할 수 있는 일이 있다. 세상은 당신이 그 일을 해주기 바란다! 우리는 세상과 긴밀하게 연결되어 있다. 이러한 내적 연계는 '인간다움'humanness 을 조명해 준다. 내적 연계에 대한 깊은 깨달음을 통해 우리의 책임감과 소속감은 고양되고 무기력, 수치, 고립감 등의 감정은 축소된다. 그러므로 당신의 '완전한 나'가 매우 중요하다. 기억하라. '완전한 나'는 물질을 변화시킨다.

PART II

THE PERFECT YOU

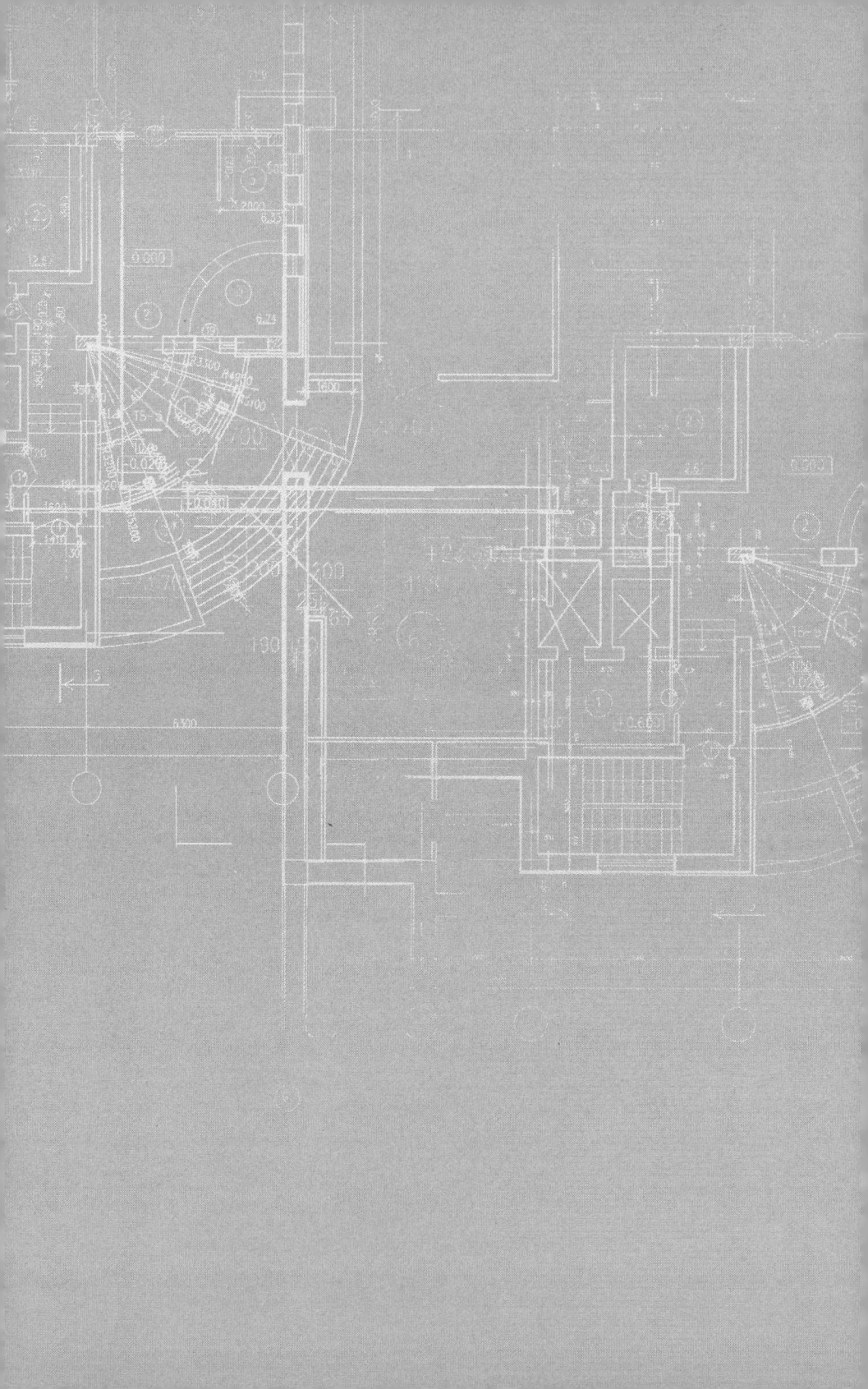

Chapter 4
'완전한 나'의 철학

이원주의적 상호작용주의의 본질적인 특징은 마음과 두뇌가 각각 독립적인 실체이며 … 또한 마음과 두뇌가 양자물리학에 의해 상호작용한다는 것이다.

— 존 에클스, 노벨상 수상자

이원론은 '자유의지'를 지지해 주는 이론이다. 우리는 이성과 욕망에 따라 우리의 행동을 결정하며 직관한다. 신경과학자들이 제공하는 그 어떤 연구결과도 이와 다르지 않다. 양자 확률은 이 세상에 미리 결정된 것이 존재하지 않음을 보여 준다. 이 같은 '비결정론'은 인간의 '독특성'과 양립할 수 있다.

— 리처드 스윈번, 철학자

'완전한 나'의 과학을 논하기 전, 나는 마음과 뇌의 관계에 대한 나의 철학적 입장을 간략히 설명할 것이다. 즉 인간이 생각하고 말하고 행동하는 독특한 스타일을 어떻게 이해하고 있는지 설명할 것이다.

마음이 먼저다

19세기 후반, 양자물리학의 등장과 함께 시공계(시간·공간의 자연세계)의 기원을 찾는 노력이 시작되었다. 이후 과학의 면면은 크게 달라졌다. 가장 먼저, '물질'이라는 단어가 애매모호해졌다. 전과 달리 물질을 정의 내리기가 어려워진 것이다.

20세기 초 양자이론을 주장한 선구자, 베르너 하이젠베르크는 "원자와 같은 기초 미립자들이 '순수 가능성'의 세상을 형성하고 있으나, 기초 미립자 자체는 물질이 아니다"라고 말했다. 노벨상 수상자인 물리학자 존 휠러는 이렇게 말했다. "관측할 수 없다면, 그 어떤 기초 현상도(기초 현상이란 원자, 전자를 포함하여 우리가 학교에서 배워 왔던 여러 다른 미립자들을 말한다) 실제적일 수 없다."[1] 영국의 철학자 키스 워드가 말했듯, 미립자들의 존재는 단지 '지각 가능성'(미립자의 존재를 알 수 있을 뿐 관측할 수는 없다는 뜻)일 뿐이다.[2]

그러므로 물질보다는 물질을 지각하는 마음이나 의식이 선재한다. 다시 말해서 물질에 대한 인식이 물질의 존재보다 앞선다는 것인데, 이러한 개념은 우주를 연구하는 이상적 접근법의 골자이다. 노벨상 수상자인 유진 위그너가 말했다. "모든 실체는 마음이 빚어낸 구조물이다." 그의 말대로라면 뇌가 마음을 만들어 내는 것이 아니다.

대부분의 사람들은 마음을 뇌가 만들어낸 추상적 개념으로 생각하는데, 그렇지 않다. 태초에 '말씀'(로고스)이 있었다(요 1:1-5). 로고스는 '의식'이다. 의식은 지성, 이성, 또는 생각으로 정의된다. 의식의 주체이신 하나님은 만물보다 먼저 계셨다. 그분의 마음(말씀)이 모든 물질을 창조해 냈고, 그 모든 것을 유지하고 있다(창 1-2장, 요 1장, 행 17:28). 의식은 물질계에 내재할 뿐 아니라 물질계를 지배한다. 이것이 바로 '하늘이 땅을 만난다'는 의미이다(마 6:9-13).

철학적 이상주의는 '완전한 나'의 독특한 기능, 즉 '완전한 나'가 독특하게 생각하고 느끼고 선택하는 방법을 이해하는 핵심 열쇠이다. 이 세상은 '순수한 세계' 또는 '수학적 세계'로, 오직 각 사람의 마음으로만 인식할 수 있는 대상이다. 마음에서 물질이 나오지, 물질에서 마음이 나오는 것이 아니다. 이처럼 당신의 마음이 당신의 실체를 빚는데, 마음이란 생각과 기억의 집합체이다. 그러한 인간의 마음은 모든 실체의 근원이신 하나님의 마음을 반영하고 있다(고전 2:16).

무엇이 실체인가? 실체는 의식 또는 마음이 구상해 내는 무언가이다. 성공회 감독인 조지 버클리는 이렇게 말했다. "하나님은 항상 무언가를 바라보신다(무언가를 창조하시기 전, 그것을 떠올리고 생각하신다). 그러므로 만일 하나님이 계시지 않다면, 아무것도 존재할 수 없었을 것이다."[3] 하나님은 모든 의식의 근원이시다. 하나님은 진리이시며(요 14:6), 궁극의 의식이시다. 요한이 복음서의 서두에서 외쳤듯, "하나님께서는 그를 통해 만물을 창조하셨다 … 그 말씀은 창조된 모든 것에 생명을 부여했고, 그의 생명이 모든 것에 빛을 전해 주었다. 그 빛은 어둠 속에서 빛을 발하고, 어둠은 그 빛을 영원히 소멸할 수 없다"(요 1:3-5, NLT).

우리는 하나님의 형상대로 창조되었다(창 1:27). 그분의 형상을 머금은 존재로서 우리에게는 하나님의 창조 능력이 내재한다. 그렇다. 우리는 그리스도의 마음을 갖고 있다(고전 2:16). 하나님은 우리가 하늘을 이 땅으로 달아 내리길 원하신다. 우리는 그 뜻에 따라 하늘의 '실상'을 창조해 내기 위해 그리스도의 마음과 동일한 마음을 소유하고 계발해야 한다.

이상주의의 적용

우리의 인식 능력이 저마다 다르므로 우리가 창조해 내는 실상 역시 저마다 다르다. 하나님께서는 우리에게 '절제하는 마음'(딤후 1:7)을 주셨다. 우리는 그 마음을 사용하여 생각하고 선택하고 창조한다. 예를 들어, 누군가가 당신에게 무언가를 말했다고 하자. 이때 그의 말을 인지하고 생각하고 느끼는 당신만의 방식에 따라 그 말에 대한 반응이 창조된다. 어쩌면 당신은 다른 사람의 말에 미소를 지어보이거나 동의를 표할 수도 있다. 혹은 반대로 그들의 말을 오해하거나 곡해하여 짜증을 낼 수도 있다.

본질적으로 당신의 반응은 다양할 수 있다. 당신은 이처럼 여러 다양한 반응 양상 중 독특하게 하나를 선택한다. 이후 당신이 선택한 반응 방식은 미소, 동의하는 표정, 논쟁 등과 같은 실체를 만들어 낸다. 반응을 선택하는 것이다.

노자가 다음과 같이 말했다고 한다. "네 생각을 조심하라. 생각은 말이 되기 때문이다. 네 말을 조심하라. 말은 행동이 되기 때문이다. 네 행동을 조심하라. 행동은 습관이 되기 때문이다. 네 습관을 조심하라. 습관은 성품이 되기 때문이다. 네 성품을 조심하라. 성품은 운명이 되기 때문이다." 나는 그의 말에 동의한다. 우리는 '선택'함으로 운명을 창조한다.

마음은 '창조의 동인'이기 때문에 극도로 주의하여 다뤄야 한다. 그리고 가능한 최적의 방법으로 사용해야 한다. 우리가 생각에 주의를 기울여야 하는 이유도 마음의 창조 능력을 긍정적인 방식으로 사용하기 위해서이다. 우리가 하나님의 형상대로 지음 받았기 때문에 우리에게서 사랑의 하나님의 형상이 나타나야지, 미워하고 상처 주는 세상의 질서가 나타나서는 안 된다. 우리가 '완전한 나' 안으로 들어갈 때, 우리에게서는 '사랑의 하나님'의 형상이 나타날 것이다. 그러나 '완전한 나'를 이탈할 경우, 양상은 반전된다. 우리는 마음의 창조 능력을 하나님 나라를 위해 사용하지 못하고, 그로 인해 우리 자신의 건강은 물론 주변 사람들의 건강까지 해치게 된다.

물질주의

물질주의(유물론)는 이상주의의 대척점에 서 있다. 그런데 안타깝게도 오늘날 물질주의가 신경과학을 포함하여 과학계 전체를 지배하고 있다. 물질주의적(유물론적) 세계관은 물질로부터 마음이 생겨났다고 말한다. 즉 생각의 물리적·물질적 측면만이 중요하다는 입장이다. J. C. 에클스는 다음과 같이 말했다.

> 물리적 세계는 물질과 에너지로 구성되어 있다. 인간의 뇌를 포함한 생태는 물론, 인간이 정보 저장을 위해 고안해 낸 모든 수단, 이를테면 책을 구성하는 종이와 잉크, 예술 작품을 이루는 물감이나 재료 등, 이 모든 것이 물질이다. 이 세상은 물질로 구성된 종합체이다. 물질주의자들에게 물질 외에는 아무것도 없다. 나머지 다른 것은 환상에 불과하다.[4]

물질주의의 설명대로라면 당신이란 존재는 '뇌 활동의 결과물'일 뿐이다. 물질주의를 지배하는 원리는 다음과 같다. "물질은 모든 존재의 제1원인(다른 것을 존재하게 하는 근원)이다." 즉 물질이 마음을 만들어 내고, 우리가 생각, 느낌, 선택이라 부르는 정신 활동 역시 물질이 만들어 낸다는 것이다. 물질주의 입장으로 인간의 마음을 바라보는 대표적 이론으로 '정체성 이론'이 있는데, 이 이론은 인간의 정신을 다음과 같이 설명한다. "인간의 정신 상태는 뇌 속의 전기화학적 상태와 동일하다. 그러므로 정신은 다름 아닌 전기화학물질이다. 이외의 다른 설명은 환상에 불과하다."

물질주의적 입장에서 바라본 인간의 뇌는 복잡한 구조의 컴퓨터와 같다. 뇌의 피질 안에서 일어나는 물질의 처리 과정을 통해 생각과 감정이 생산된다. 따라서 생각과 감정은 물질에 불과하다. 이처럼 물질주의적 일원론은 결정론적이어서 인과관계에 중점을 두며, 기계적이고 단순 환원적이다. 다시 말해서 모든 현상의 원인을 단순한 요소로 볼 수 있다는 입장이다.

물질주의에 의하면, 모든 것이 물질인 우주 안에서 인간을 인간답게 만드는 모든 요소는 결국 불타는 뉴런과 화학 반응의 결과물이다. 물리적 환원주의가 인간의 복잡성을 설명해 준다. 우리가 생각하고 느끼고 선택하는 방식이 복잡하고 독특해 보이지만, 결국은 그 모든 특성 역시 뇌의 물리적 구성요소에 기인한다는 것이다.

그러나 이런 식으로 정신 활동을 설명하는 것은 매우 위험하다. 만일 우리가 그릇된 선택을 한다고 하자. 그렇다면 우리로 하여금 그릇된 선택을 하도록 유도한 것이 우리 몸의 생리라는 것인가? 우리는 결정론적 유전자 생태의 피해자인가? 그렇다면 나의 생각, 느낌, 선택, 행동에 대해 책임을 지지 않아도 된다는 말인가? 성경은 우리의 선택에 의해 생명과 죽음이 좌우된다고 말하는데(신 30:19), 과연 물질주의적 접근 방식이 이 같은 성경적 세계관을 소화할 수 있는가?

물질주의적 입장으로 생각을 바라보려는 시도는 많다. 여기서 우리는 19세기에 등장한 '행동주의 이론'도 살펴봐야 한다. 이것은 결정론적 물질주의(유물론)의 전형으로, '자유의지는 환상'일 뿐이라는 전제 하에 인간의 행동을 분석하려는 시도이다. 쉽게 말해서 인간의 행동은 동물의 행동과 별반 다르지 않다는 것이 행동주의 이론의 골자이다.

생각에 대한 연구는 MRI, fMRI, PET, SPECT(단일 광자 방출 단층 촬영술) 등 뇌 촬영기술이 급진전한 1990년대 중후반 즈음 절정에 이른다. 이러한 기술의 출현으로 수많은 신경과학자들은 마음, 즉 '뇌의 의식적 경험'을 보다 정확하게 조사할 수 있었다. 하지만 이것은 수많은 물질주의자들이 "뇌가 마음을 만들어 낸다"는 주장을 펴기 위해 사용했던 '증거'이다. 물질주의자들은 물질이 생각, 느낌, 선택을 만들어 낸다고 주장한다. 어쩌면 당신은 '이러이러한 행동을 할 때 활성화된 인간의 뇌의 모습'이라는 제목의 신문 기사를 본 적이 있을 것이다. 그리고 총천연색의 뇌 스캔 사진과 함께 그 하단에 "뇌가 우리로 하여금 이러이러한 일을 하게 만든다"라는 설명이 첨언된 것도 심심찮게 보았을 것이다.[5]

하지만 앞에서 언급했듯, 이러한 주장은 심각한 반발을 일으킨다. "살인마가 사람들을 죽인 것도 뇌의 뉴런이 잘못 발사되어서 그렇다는 말입니까? 그렇다면 사람이 아닌 뉴런을 살인마라고 불러야겠네요? 인간의 선택과 책임은 설 자리가 없는 것입니까?"

어떤 면으로 보나 이것은 '닭이 먼저냐, 알이 먼저냐'의 문제 같다. 일단, 전통적 과학 기법으로는 뇌가 마음을 만들어 낸다는 것을 입증할 수 없다. 어디까지나 과학의 기본은 관찰인데, 과연 마음을 관찰할 방법이 있겠는가? 연구실에서 특정 물체를 관찰하듯 인간의 마음을 관찰할 수는 없다. 혹시 뇌 스캔 사진을 마음의 관찰 증거로 제시하고 싶은가? 물론, 물질주의자들은 뇌 스캔 사진을 증거로 제시하며 "뇌가 행동을 유발한다"고 주장할 것이다. 그러나 그 동일한 뇌 스캔 사진을 보면서 "이것은 마음이 뇌를 작동시키는 증거다"라고 말할 수도 있다.

사실, 생각과 감정이 물리적 실체(뇌)에 영향을 준다는 연구도 많다. 일례로 삶 속의 특정 사건을 부정적으로 인식할 경우, 그 여파가 향후 12개월 동안 신체건강을 43% 정도 해친다는 연구결과가 있다. 또한 만성 스트레스로 인해 암세포가 체내 림프선을 통해 온몸에 퍼지는 속도가 더욱 빨라졌다는 연구결과도 있다.[6]

중요한 것은 생각이다. 어떤 생각을 할지, 어떻게 반응할지를 선택하는 것이 중요하다. 생각과 선택이 우리 몸(실체)에 영향을 주기 때문이다.

뉴런, 그 이상

우리는 하나님의 형상을 닮은 자로서, 피조물을 관리할 책임자이다. 이러한 인간의 존재를 단지 '불타는 뉴런'으로 규정할 수는 없다. 옥스퍼드 대학의 교수이자 철학자인 리처드 스윈번은 다음과 같이 말했다.

물질주의 입장은 인간의 정신을 온전히 설명할 수 없다. 그 점에 있어서

는 신경과학도 마찬가지이다. 신경과학은 물질주의 입장에 약간의 추가 정보를 덧붙였을 뿐이다. 이를테면 '부족한 음식 섭취는 먹고자 하는 욕구 유발로 이어진다'와 같은 식이다. 그러나 신경과학은 욕구가 일어날 때, 인간이 어떻게 반응하기로 선택하는지(선한 반응을 할지, 악한 반응을 할지) 단 한 번도 보여 준 적이 없다. 아니, 앞으로도 보여 줄 수 없을 것이다.[7]

물론 우리의 선택은 뇌의 활동을 반영하고 있다. 뇌의 활동이 우리의 선택에 영향을 줄 수 있다는 뜻이다. 그러나 우리의 선택 행위를 '뇌 활동'의 결과물로만 규정지을 수는 없다. 창세기의 아담과 하와 이야기부터 요한계시록의 종말 이야기까지 성경은 끊임없이 인간의 선택 행위를 언급한다. 성경은 우리의 선택이 얼마나 중요하고, 그 파급력이 얼마나 강한지 설명하며, 선택에 의해 생명에 이르기도 하고 사망에 이르기도 한다는 사실을 집중적으로 조명한다. '인간이 된다'는 말은 곧 '선택에 따른 결과를 스스로 책임진다'는 말이기도 하다.

우리의 인생 전체를 원자나 뉴런과 같은 물질로 환원·축소하여 이해할 때, 그에 따른 결과는 참으로 무시무시하다. 하나님은 우리를 영, 혼(마음), 육의 3원 일체적 존재로 창조하셨다(살전 5:23). 모든 피조물은 원자나 분자와 같은 물질이 아닌, 말씀(로고스)을 통해 존재하게 되었다(요 1:1-5). 여기서 로고스는 하나님의 마음 또는 의식이다. 그러므로 피조 세계를 미립자 단위로 분해한 후 오직 물질적 요소에만 집중한다면, 이를테면 인간을 물질로만 바라볼 경우, 우리는 우주 본연의 존재 방식을 거스르게 된다. 우주는 물질로만 구성되어 있지 않다. 그러므로 인간을 뇌 또는 몸뚱어리로만 보는 태도는 엄청난 부정적 반향을 불러일으킬 것이다.

오늘날 과학과 의학의 눈부신 발전에도 2016년 발표된 미연방정부의 전년도 통계를 보면, 2015년 한 해 동안 미국에서의 사망률이 크게 높아졌음을 알 수 있다. 사망률 증가는 수십 년 만에 처음 있는 일이었다. 물질주의적 입장에서 이것은 크게 놀랄 일이다. 하지만, 인간의 몸이 물질로만 구성되어 있지 않다는 생각을 하면, 최근의 사망률 상승은 그리 놀랄 일이 아니다.

이와 관련하여 국가 건강 통계청의 사망률 통계 국장 로버트 앤더슨은 다음과 같이 말했다. "이러한 사망률 상승은 일반적인 현상이 아닙니다. 그러므로 이 통계 결과는 매우 중요한 의미를 담고 있다고 말할 수 있습니다. 사망률 상승이 의미하는 바는 무엇일까요? 아직은 분석 결과를 내놓기가 어렵습니다. 충분한 자료 검토가 선행되어야 하기 때문입니다. 그런데 안타깝게도 2016년에 또 다시 사망률이 상승했습니다. 일단은 더 많은 관심과 주의가 필요하다고 말씀드리겠습니다."[8]

만일 인간이 물질로만 구성된 존재라면, 과학과 의학의 발전이 사망률을 감소시켜야 옳다. 그렇다면 이 통계는 인간의 몸이 물질로만 구성되어 있지 않다는 물질주의에 대한 반증이 아닐까? 인간은 물질로만 이루어진 존재가 아니다. 우리는 건강이나 복지 개념을 물질적인 입장에서만 생각해선 안 된다.

특히 정신의학 분야에서 이러한 노력이 필요하다. 오늘날 '의료행위로 인한 불행'은 일반적인 현상이 되어 버렸다.[9] 정신과 의사들은 인간의 삶을 총체적으로 바라보며 가난, 실업, 목적의식의 부재 등을 정신건강 악화의 원인으로 보는 대신, 생물학적 이유로만 문제를 분석하려 한다. 이를테면 그들은 정신건강 악화의 원인을 뇌의 화학적 불균형에서 찾는다. 사람들이 왜 불행한지, 그 이유를 개인의 생태에서 찾으려 할 뿐 그들의 경험이나 사회 환경을 살피지는 않는다. 경제적 착취, 폭력, 부적절한 정치 환경은 거들떠보지도 않고, 오로지 생태만을 문제의 원인으로 꼽는 것이다.

이와 관련하여 한 가지 극단적인 예를 들어 보겠다. 입양된 아동들은 정신과 의사들에게 종종 이런 말을 듣는다. "어떤 이유에서인지 너희의 뇌가 제 기능을 하지 못하는구나. 그래서 마음을 바꿔 주는 약(신경안정제)을 주는 거란다." 교실을 이리저리 뛰어다니는 아이에게 강제로 신경안정제를 투여하는 경우도 마찬가지이다. 장기적으로 볼 때, 이러한 의약은 코카인만큼이나 중독성이 강하다. 이 얼마나 위험한 처방인가! 그러나 우리는 이 같은 의료행위를 문제 삼지 않는다. 그저 학교에 적응하지 못하는 아이들을 타박할 뿐, 현재의 학교 시스템이 다양한 인성을 수용하기에 적합한지에 대해서는 의문을 품지는 않는다.

여기서 한 가지 어려운 질문을 던져야겠다. '나는 문제 있는 기계이다', '나는 고장 난 생태 시스템이다'와 같은 입장을 취하는 것이 과연 치유에 도움이 되겠는가? 이러한 입장을 취한 상태에서 정신건강 악화 문제를 다룬다면, 치료를 통해 참된 평안과 자유를 얻을 수 있겠는가?

당신의 뇌가 당신의 모든 행동을 유발한다고 하자. 그렇다면 당신에게는 아무 책임이 없으므로, 당신은 삶을 살아가는 주체가 아니라 삶의 외부 요소라고 할 수 있다. 당신이 살아가는 당신의 삶인데, 외부 변수라니 말이 되는가? 뇌 스캔 판독 결과, 당신의 뇌가 ADHD(주의력결핍 과잉행동장애) 성향을 지녔다면, 혹은 fMRI 판독 결과 당신의 뇌가 조현병

성향을 띠고 있다면, 당신의 사회생활은 그것으로 끝 아닌가? 남은 생애 내내 당신은 신경안정제를 복용해야 할 것이다. 그리고 결국에는 뇌를 손상시킬 의약품에까지 손을 댈지도 모른다. 그리고 그로 인한 부작용도 평생 끌어안고 살아야 한다. 물질주의를 따른다면 말이다. 정말 이것이 당신의 운명인가?

물질주의자들은 뇌 스캔 사진을 완벽한 마음의 지도라고 생각한다. 그러나 물질주의 이론으로는 어떻게 뇌의 회백질에서 의식이 만들어지는지를 설명하지 못한다. 뇌의 대부분을 유실한 남성이 완벽한 의식 상태를 유지한 사례가 있었는데, 물질주의자들은 이를 제대로 설명하지 못했다. 온전한 의식 상태의 남성이 있었는데, 나중에 그의 뇌를 관찰해 보니 뇌의 대부분이 유실된 상태였던 것이다.

악셀 클리어만스가 말했다. "인간의 의식과 관련된 그 어떤 물질주의 이론도 뉴런의 90% 이상을 유실한 사람이 어떻게 정상적인 행동을 하는지를 설명해 내지 못한다."[10] 특히 의식이나 마음을 다루는 과학 이론 중 '신경해부학적 특징'(뇌의 물리적 구성체)에 의존하는 이론들은 이와 유사한 실제 사례들을 제대로 설명하지 못한다.

그렇다면 마음은 어디에서 기인하는가? 물질주의도, 뇌공학도 우리의 생각, 감정, 선택의 본질을 설명하지 못했다.

상호 이원론

물질주의는 마음과 뇌의 문제를 다루는 유일한 방법이 아니다. 과거에는 마음과 뇌가 분리되어 있으나 서로에게 영향을 미친다고 믿었다.

이를 가리켜 '이원론'이라 하는데, 이원론을 최초로 주장한 사람은 17세기의 철학자 르네 데카르트이다. 본질적으로 이원론은 다음과 같이 주장한다. "물리적 세계 외에 정신적 세계라는 것이 존재한다. 그리고 이 두 세계는 서로 교류한다."

노벨상 수상자인 존 에클스 경은 지난 수십 년 동안 이원론을 연구하여 자신만의 '마음 이론'을 전개하였다. 에클스가 제안한 대안적 마음 이론을 가리켜 '이원론적 상호작용' 또는 '상호 이원론'이라고 한다. 그는 다음과 같이 말하였다.

> 환원주의는 인간의 신비로운 품격을 한없이 실추시켰다. 과학적 환원주의는 영적 세계를 두뇌 활동의 결과물로 설명하기 위해 물질주의를 차용했다. 그러나 물질이 모든 현상을 설명할 수 있다는 믿음은 차라리 미신으로 분류하는 것이 옳다 … 인간은 몸과 뇌를 지닌 존재로서 물질적 세계를 살아가며, 이와 동시에 영혼을 지닌 영적 존재로서 영적 세계를 살아간다. 우리는 이 사실을 인정해야 한다.[11]

그러나 물질주의와 손을 맞잡은 일원론 및 정체성 이론의 추종자들은 상호 이원론을 '유행에 뒤떨어진 이론'으로 폄훼하였다. 마음과 뇌의 상호작용은 생각하고 느끼고 선택하는 의식의 역할과 밀접하게 연결되어 있다. 그러나 물질주의자들에게 이 같은 마음과 뇌의 상호작용 개념은 수수께끼와 같다. 그들이 오직 물질만 강조하는 것은 그리 놀랄 만한 일이 아니다.

키스 워드가 말했듯 상호 이원론을 채택할 때, 우리는 과학을 깊이 탐구하게 된다. 그리고 이러한 탐구의 결과, 우리는 다시금 하나님을 주목하며 생각, 느낌, 선택에 대한 인간의 책임을 재고하게 된다. 그러므로 상호 이원론은 물질주의자나 무신론자들이 좋아할 만한 이론이 아니다.[12]

불행하게도 물질주의는 수세기 동안 과학과 철학 세계를 지배해 왔다. 오늘날도 수많은 과학자와 철학자, 일반인들이 물질주의에 폭발적인 호응을 보내고 있다. 리처드 도킨스, 샘 해리스, 대니얼 네네트와 같은 새로운 무신론자들은 물질주의를 앞세워 "인간은 생태학적 로봇일 뿐 신은 존재하지 않는다"고 주장한다. 이에 대해 키스 워드가 말했다. "새롭게 등장한 이들 무신론자들은 저마다 독특한 방식으로 과학을 이해하고 있다. 그런데 과학을 무신론과 등치시키는 사람들은 물리학자도, 수학자도 아니다. 그들 대부분은 동물학자이거나 생물학자일 뿐이다. 물리학자들은 물질의 궁극적 상태를 연구하지만, 실은 그들은 연구하지 않는다."[13] 그는 또한 다음과 같이 말했다.

우리의 생각과 달리, 과학은 물질주의에 헌신하지 않는다. 사실, 과학은 물질주의를 총체적으로 손상시켰다.

다윈은 그의 자서전에서 "나는 무신론자가 아니다"라고 말했다. 오히려 그는 유신론자나 불가지론자에 가깝다. 그러나 리처드 도킨스와 같은 사람들은 이같이 말한다. "사건들은 우연으로 발생하며, 자연법칙은 무작위에 의해 지배된다. 그러므로 다윈주의(진화론)의 관점에서는 신이 배제될 수밖에 없다."

뉴턴주의의 '자연법칙'은 이 세상이 하나의 큰 기계이며, 신은 그 기계를 돌린 후 떠나 버렸다는 세계관을 불러일으켰다. 비록 뉴턴이 신실한 기독교 신자였고, 그 자신은 이 같은 생각을 한 적이 없지만 말이다.
오늘날 과학은 새로운 사조의 물질주의와 맞닥뜨리고 있다. 그런데 다행스럽게도 물질주의는 양자물리학에 의해 파괴되고 있다.[14]

우리는 마음으로 생각하고 느끼고 선택한다. 마음이 먼저다. 신경과학과 물리학은 마음의 활동에 대한 뇌의 물리적 반응을 설명할 뿐이다. 뇌는 마음이 활동할 수 있는 터전(회로판)이다. 정리하자면, 우리의 뇌는 마음의 활동을 반영한다. 마음이 뇌를 통제하는 것이지, 뇌가 마음을 통제하는 것이 아니다.

지금 우리에게는 시공 時空에 대한 고전적 패러다임 이상의 과학적 고찰이 필요하다. 여기, 양자물리학이 있다. 양자물리학은 우주에 '창조적 의식'(마음)이 내재한다는 믿음을 직접 거론한다. 그러므로 양자물리학은 "이 우주에 '창조의 목적'이 담겨 있다"고 말한다. 우주는 우연히 발생한 것이 아니라 특정한 목적을 지닌 의식적 존재에 의해 창조되었다는 것이다.[15]

인간이 지닌 자유의지는 신이 우주를 창조할 때 사용했던 것으로 보이는 자유의지의 축소판이라고 할 수 있다. 양자이론은 인간에게 자유의지가 있다는 입장을 지지해 준다. "인간에게 자유의지가 있다"는 말은, 강력한 신이 존재하여 자신의 선택에 따라 우주를 창조하고, 자기 형상을 닮은 존재들에게 그 능력을 전해 주었다는 뜻이다.
인간은 이성적 판단을 근간으로 자유롭게 선택한다. 그리고 그 선택은 그 자신에게 물리적인 영향을 미친다. 적어도 인간에게 선택 능력이 있다는 점에서 그렇다.

현대 과학이 이러한 입장을 양자물리학에 대한 '종교적 해석'이라고 폄하할 수는 있으나 그 사실 자체를 반박할 수는 없다. 자유의지의 본질을 반박하거나 대체할 만한 증거가 제시된 적도 없다. 자유의지는 이성에 뿌리를 박고 있는 것처럼 보인다. 그런데 그 이성은 가치를 판단하는 감정에 뿌리를 내리고 있다.[16]

의식에 대한 이러한 이해는 성경이 주장하는 인간의 존엄성을 지지해 준다. 우리는 무한한 하나님의 형상을 따라 지음 받은 존재로서 무한한 마음을 지니고 있다(창 1:27). 우리 각 사람의 마음 깊은 곳에 '영원'이 심겨져 있다(전 3:11).

나는 인간의 마음에 담긴 독특한 창조 능력을 관찰했다. 그리고 지금도 그것을 관찰하고 있다. 이것은 나에게 크나큰 특권이다. 언어장애, 학습장애, 감정 연관 장애를 앓는 사람들과 외상성 뇌손상, 자폐, 심혈관 질환 환자들과 함께 진행했던 임상실험 결과 및 과학계에 홍수처럼 쏟아져 나오는 수많은 연구결과들, 그리고 무엇보다 중요한 성경 말씀이 공통적으로 나에게 말해 준 사실은 다음과 같다. "우리는 생태적인 로봇도, 무작위적인 우연의 결실도, 제멋대로 진행된 과학 공정의 산물도 아니다."

오늘날 뇌손상을 입은 사람들이 다양한 학문 분야에서 학위를 받고 자신의 연구 영역에서 두각을 나타내고 있다. 나는 최악의 트라우마에서 회복된 사람들이 자신의 지역사회를 얼마나 아름답게 변화시키는지 수없이 목격했다. 리처드 도킨스는 인간을 'DNA의 장단에 맞춰 춤추는 무희'라고 정의하며, 사람들이 그렇게 믿어 주기를 바랐던 모양이다. 그러나 그의 주장과 달리 우리는 DNA에 종속된 존재가 아니다.[17]

인간의 마음에는 하나님의 마음에서 기인한 독특하고 강력한 설계도가 각인되어 있다. 나는 그 설계도를 '완전한 나'라고 부른다. 우리는 이 세상을 향해 하나님의 영광을 발산하도록 지음 받은 하나님의 걸작이다. 우리는 천국을 이 땅으로 달아 내리도록 지음 받았다.

Chapter 5

'완전한 나'의 과학

> 양자이론에서 말하는 '경험'은 본질적인 실체이다. 그리고 '물질'은 실체, 곧 경험의 표현으로 간주된다.
>
> — 헨리 스태프, 양자물리학자, 수학자

당신은 특별하다! 이 말을 너무 많이 들어 진부하게 들릴지도 모르겠지만, 이것은 엄연한 사실이다. 당신은 특별하다. 당신은 자신만의 고유한 방식으로 생각하고 느끼고 선택한다. 당신의 사고, 감정, 선택은 필터와 같아서 당신은 그 필터를 통해 '실체'(현실)를 경험한다. 그 필터는 당신만의 고유한 '의식'이다. 그 필터로 당신은 자신의 세계관을 형성하고, 그것을 통해 말과 행동을 만들어 낸다.

만일 이 필터가 망가지면, 당신의 현실 인식은 왜곡된다. 예를 들어 당신이 쓴 뿌리를 품고 있거나 낮은 자존감의 소유자라면, 당신의 세계관에는 유해한 구름이 자욱하게 드리워질 것이다. 당신의 마음 역시 유해한 방향으로 흘러가고, 그에 따른 말과 행동은 보나마나 유해할 것이다.

참된 '나'를 버리고 다른 사람이 되려는 노력 또한 이와 동일한 결과를 낳는다. 하나님이 주신 당신 안에 장착된 필터 대신 다른 사람의 필터를 착용한다면, 당신의 세계관은 왜곡된다. 그리고 그러한 시도는 당신의 정신건강과 육체건강을 해친다.

하나님께서는 당신을 창조하실 때, 독특한(고유한) 디자인을 사용하셨다. 그러므로 그 디자인(완전한 나)이 무엇인지 알고 이해하는 것이 중요하다. 왜냐하면 그 디자인이 매 순간 당신으로 하여금 올바른 선택을 하도록 힘을 북돋워 줄 것이기 때문이다. 당신의 선택은 당신의 뇌를 형성하고, 당신의 '실존'을 빚어낸다. 당신은 자신만의 필터를 사용하여 '완전한 나'를 개발할 수 있고, 자신의 뇌와 실존을 '자신만의 타입'에 일치시킬 수 있다. 여기서 '자신만의 타입'이란 변형되거나 오염되지 않은, 하나님께서 창조하신 본연의 '사고방식'을 말한다. 창조 본연의 사고방식은 삶의 여러 문제를 해결할 수 있도록 힘을 북돋워 준다.

'완전한 나'(자신만의 타입)의 사고는 보다 명쾌한 생각, 보다 선명한 비전, 보다 균형 잡힌 감정, 보다 활발해진 지식 처리 과정 등의 고무적인 열매를 맺는다. 그 결과 마음의 상태가 호전되므로, 당신은 자신의 생각과 느낌과 선택에 결부된 모든 요소와 관점들을 객관적으로 점검할 수 있게 된다. 자신이 어떤 관점으로 생각하고 느끼고 선택하는지를 이해할 때, 당신은 자신만의 고유한 정신과 인성과 행동과 반응 양상을 깨닫게 되고, 자신이 무엇을 갈망하고 이루기 원하는지 확실히 인식하게 된다. 다시 말해, 자신을 향한 하나님의 계획을 깨달아 거룩한 목적의식을 갖게 되는 것이다. 뿐만 아니라, 그것을 성취하는 데 필요한 용기와 자원도 얻는다.

신경학적으로 볼 때, '자신만의 타입'은 우리 뇌의 보상 사고/학습 회로를 활성화시킨다. '완전한 나'를 따라 행하면, 우리 뇌에 '기쁨'이라는 보상이 주어진다. 이러한 기쁨 덕에 우리는 어떤 상황에서도 인생의 문제들을 회피하지 않고 직면할 수 있다(약 1:2-4). 이와는 반대로 '완전한 나'를 따라 살지 않을 경우, 우리의 고유한 사고방식(완전한 나)은 좌초될 것이다. 트라우마와 같은 극단적 상황은 말할 것도 없고, 일상의 소소한 스트레스조차 감당하기 어려워진다. '자신만의 타입'이 무너지면, 문제 해결 능력도 크게 저하되기 때문이다. 게다가 인지 능력, 상황 대처 능력도 심하게 훼손된다. 그야말로 총체적 난국이다. 이럴 때, 당신은 내면 깊이 스며든 고통을 억누르고자 보상 차원에서 약물 복용, 과식, 섹스(중독) 등 옳지 않은 일에 손을 댈지도 모른다.

이처럼 '완전한 나'의 왜곡이 반복되거나 그것이 완전히 억눌린 채 오랜 시간이 경과되면, 당신에게서는 유해한 행동의 습관화 과정이 시작되고, 습관화 과정에 대동되는 유해한 반응도 나타날 것이다. 좋지 않은 사고 패턴은 우리의 마음속에 장애를 일으키고, 우리의 뇌 속에 신경퇴행성 혼란을 유발한다. 결국 장애를 앓는 마음과 뇌는 정상적으로 교류하지 못하여 인지 능력 저하, 상황 대처 능력 저하 등으로 이어진다.

그렇다. 유해한 생각은 '완전한 나'의 길을 가로막는 장애물이다. 유해한 생각을 통제하지 않으면, 당신은 우울증, 염려, 불안, 자살 기도, 강박장애, 섭식장애, 정신질환과 같은 참사를 겪을 수도 있다.[1)]

'완전한 나'는 이 세상 어디에서도 찾을 수 없는 하나님의 영광이 반영된 것이다. '완전한 나'는 우리 안에 내재한 생명력이며, 사랑에만 반응하도록 설계된 하나님의 디자인이다. 하나님의 실체가 사랑이므로, 하나님의 영광을 반영하는 '완전한 나' 역시 사랑에만 반응한다. 당신은 오직 '완전한 나'를 통해 하나님을 예배할 수 있다. 우리가 하나님의 디자인대로 '완전한 나'를 따라 살 때, 이 세상에 하나님의 영광을 드러낼 수 있다. 우리는 행동뿐 아니라 생각으로도 하나님의 영광을 드러낼 수 있다. 우리는 그리스도의 마음을 가졌다!

사람들이 종종 나에게 이렇게 묻곤 한다. "도대체 왜 '완전한 나'를 알아야 합니까?" 이에 대한 나의 대답은 간단하다. "'완전한 나'를 알아야만 갇혀 있던 내가 풀려나기 때문입니다." 당신은 창조주를 닮은 형상이다. 따라서 자신의 '완전한 나'를 알 때, 비로소 하나님의 형상이라는 정체성을 회복할 수 있다. 정체성이 회복되면, 자신의 삶을 향한 하나님의 뜻이 무엇인지 깨닫고, 그것을 향해 전진할 수 있다. 이렇게 삶의 목적을 이루는 과정 속에서 당신의 지적 능력은 향상되고, 삶에는 기쁨이 넘칠 것이다.

이 책은 당신을 도와 진정한 자아, 다시 말해 하나님의 형상을 닮은 '완전한 나'를 찾게 하는 데 목적이 있다. 나는 당신이 자신의 내면 깊은 곳까지 들여다보며 진정한 자아를 찾아내기를 바란다. 하나님께서는 당신을 생각하고 느끼고 선택할 수 있는 만물의 '으뜸'으로 창조하셨다. 부디, 하나님께서 당신을 창조하신 목적과 당신에게 부여하신 가치를 찾아내길 바란다. 이것은 매우 중요한 일이며, 진지한 노력을 요하는 작업이다. 그러므로 이 책은 매우 중요하다!

트라우마(정신적 외상)와 죄는 '완전한 나'를 방해한다. 사람들은 죄와 트라우마로 인해 상처 입은 몸과 마음을 회복하려고 노력한다. 보통은 그나마 손쉬운 방안으로 '자아성취'라는 이름으로 열심히 애쓰고, 그 결과에 대해 뿌듯해하는 듯하다. 이처럼 우리는 자신을 위로하기 위해 수

많은 노력을 기울이는데, 오히려 '완전한 나'와 정반대 방향으로 나아가기 십상이다. 참으로 안타까운 일이다.

하지만 아직 소망은 있다. 왜냐하면 '완전한 나'는 트라우마보다 훨씬 강력하기 때문이다. 그리고 뇌가 마음을 통제하는 것이 아니라 마음이 뇌를 통제하지 않는가? 게다가 우리의 뇌는 가소성을 지녔다. 그러므로 마음만 먹으면, 우리의 뇌는 언제든 좋은 쪽으로 변화될 수 있다.[2] 사도 바울이 말했듯 우리는 마음을 새롭게 함으로써 변화를 입는다!(롬 12:2)

과학은 현실(나 자신과 나를 둘러싼 환경들)을 이해하는 길로 우리를 안내하지만, 과학만으로는 현실을 온전히 이해할 수 없다. 30년 전, '완전한 나'에 대해 연구하기 시작한 이래 '완전한 나'의 과학은 크게 발전했다. 그러나 아직 배우고 탐구해야 할 것이 많이 남아 있다.

이 장에서, 나는 '완전한 나'를 지지하는 복잡한 과학 개념을 설명할 것이다. 일단은 이것에 대해 최대한 간단하게 설명할 것이지만, 결코 쉽지는 않을 것이다. 물론 그 모든 과학 개념을 온전히 이해해야 하는 것은 아니다. 또 그 모든 내용을 다 읽을 필요도 없다. 하지만, 이번 장만큼은 꼭 읽기 바란다. 여기에 기록된 정보들은 시간을 투자하여 곱씹어볼 만한 가치가 있기 때문이다! 그러니 아무리 어렵더라도 시간을 내어 읽으라. 중요한 내용이므로 꼭 읽어 보기 바란다.

복잡한 내용을 이해하기 위해 노력할 때, 당신이 얻는 부차적 유익도 있다. 일단, 당신의 지적 능력이 향상될 것이다. 그리고 복잡한 내용을 소개한 후에는 쉽고 단순한 적용점들에 대해 이야기할 것이다. 또한 이 모든 퍼즐 조각을 맞추는 데 도움이 될 차트도 준비되어 있다.

'완전한 나'의 디자인

30여 년 전, 나는 측지 정보처리 모델Geodesic Information Processing Model을 개발했다. 이 모델은 '완전한 나'의 구조를 설명한다.[3] 참고로 부록에 실린 UQ 검사는 '완전한 나'의 구조를 바탕으로 개발한 것이다.

지금부터 나는 '완전한 나'의 구조를 설명할 것이다. 그리고 부록의 UQ 검사가 어떻게 진행되는지에 대해서도 간략하게 언급할 것이다.

'완전한 나'는 여러 요소로 구성되어 있다. 일단, '완전한 나'를 구성하는 요소 중 메타인지 모듈(단위)이 있다. 메타인지 모듈은 대인관계, 내면 성찰, 언어, 논리·수학, 운동감각, 음악, 시각·공간의 일곱 단위로 나뉜다. 그리고 각 단위마다 말하기, 읽기, 쓰기, 듣기의 네 가지 처리 시스템이 작동한다. 이 처리 시스템은 각각 서술('무엇을'에 해당하는 기억 속 정보), 절차('어떻게'에 해당), 조건('언제/왜' 또는 기억의 목적 혹은 감정적 요소에 해당) 세 개의 '메타인지 변역(도메인)'으로 나뉜다.

이에 대한 이해를 돕기 위해 '말하기'를 예로 들어 보겠다. 우리가 말하는 내용은 기억인데, 우리는 이것을 '무엇을', '어떻게', '언제/왜'로 나누어 처리한다. 이러한 메타인지 변역은 '기술記述 체계'(기억)의 뼈대를 제공한다. 당신만의 독점적인 기억은 이들 세 가지 메타인지 변역에 자리한다.

메타인지 변역에서 일어나는 활동은 '마음'(생각, 느낌, 선택)의 규제에 의해 통제된다. 학습의 90% 정도가 이뤄지는 무의식의 차원에서는 이러한 마음의 규제를 '역동적 자기규제'라고 하고, 학습의 10%가 이뤄지는 의식의 차원에서는 이것을 '능동적 자기규제'라고 한다.

마지막으로, '메타인지 활동'에 대해 설명할 것이다. 우리가 '깊은 생각'(의도적이고 계획적인 생각)을 할 때, 기억의 메타인지 변역(무엇을, 어떻게, 언제/왜)이 상호 교류하기 시작하는데, 이 같은 깊은 생각을 가리켜 '메타인지 활동'이라고 한다. 당신이 깊은 생각에 빠질 때, 의식 차원에서의 '능동적 자기규제'가 활발해지고, 의식의 '능동적 자기규제'와 무의식의 '역동적 자기규제' 사이의 교류 역시 더욱 활발해진다. 그 결과 가장 많은 에너지를 담고 있는 무의식의 기억들이 의식의 영역으로 이동한다. 본질상, '기억'은 '생각'이다. 우리가 어떤 생각을 반복적으로 하게 되면, 기억의 형태로 저장된다. 참고로 어떤 기억이 의식의 영역으로 이동했다는 것은, 우리가 그 생각(기억)을 오래도록 자주 품어 왔다는 사실을 알려 준다.

일곱 가지 메타인지 모듈

일곱 가지 메타인지 모듈은 서로 뒤얽히는 방식으로 작동하며, 그 방식은 사람마다 다르다. '완전한 나'의 메타인지 모듈들은 복잡한 양자 무의식 영역에 내재하는데, 참고로 우리의 무의식은 1초에 10^{27} 속도로 24시간 쉼 없이 활동한다.

일곱 가지 메타인지 모듈은 인간의 지식과 지적 잠재력의 범위를 대표한다. 인간의 지식과 지적 잠재력의 범위에는 제한이 없다.

모든 사람은 일곱 가지 메타인지 모듈의 전체 스펙트럼을 지니고 있다. 다만 사람마다 그 조합 방식이 다를 뿐이다. 그러므로 각 사람은 저마다 독특한 인지 형태를 나타내며, '완전한 나' 역시 사람마다 다르다.

여기서 한 가지 주의할 점은, 내가 개발한 측지 모델의 일곱 가지 메타인지 모듈이 하워드 가드너가 개발한 다중 지능 이론의 일곱 가지 지능과는 다르다는 것이다.[4] 측지 모델에서의 일곱 가지 모듈은 메타인지 변역의 세 가지 지식을 한데 아우른다. 여기서 세 가지 지식이란 서술적 지식(무엇을), 절차적 지식(어떻게), 조건적 지식(언제/왜)을 말한다. 그러나 가드너 모델에서의 지능은 오직 절차적 지식만을 통합한다. 그러므로 인간 지성의 범위를 생각하면, 가드너의 모델은 불완전하다고 할 수 있다.

우리는 환원주의의 입장으로 인간의 생각과 느낌과 선택을 다룰 수 없다. 각각의 모듈은 독특한 인지 능력을 지닌 채 독자적으로 작동한다. 하지만, 우리가 생각하고 느끼고 선택하는 과정을 통해 정보를 처리할 때, 모듈들은 서로 교류한다. 메타인지 모듈들의 상호교류로 인한 최종 결과물은 '모듈의 질적 향상'이다. 따라서 고차원적인 생각이 생성된다.

일곱 가지 메타인지 모듈은 '조화'를 이루며 활동한다. 물론 어떤 사람의 말과 행동을 관찰한다고 해서 그 사람의 메타인지 모듈이 어떠한지 전부 파악할 수는 없다. 우리는 그 사람의 일곱 가지 모듈이 그에게만 유효한 방식으로 교류하여 만들어 낸 최종 산물(말, 행동)만을 볼 뿐이다. 그러나 이렇게 만들어진 말과 행동은 그 사람의 전인성全人性 곧 '완전한 나'를 반영하게 되어 있다. 다시 말해, 각 사람의 '완전한 나'는 각 사람의 메타인지 모듈이 조화를 이루어 내는 독특한 방식이다.

처리 시스템

앞서 언급했듯이, 일곱 가지 메타인지 모듈은 말하기, 읽기, 듣기, 쓰기의 처리 시스템을 수행한다. 그리고 각각의 처리 시스템은 다양한 기능을 보유하고 있다. 예를 들어 '읽기'라는 처리 시스템은 개념화 작업을 위한 읽기, 소설과 같은 유희를 위한 읽기, 복잡한 매뉴얼과 같은 정보 습득을 위한 읽기 등의 기능을 보유하고 있다. '쓰기'도 마찬가지이다. '쓰기'에는 이메일 쓰기, 소설 쓰기 등의 기능이 있다. 그리고 '말하기'라는 처리 시스템은 연설, 친구와의 대화 등 다양한 기능으로 분류된다.

하나의 처리 시스템은 여러 다양한 과정의 총체이다. '읽기'라는 처리 시스템을 예로 들어보자. '읽기'는 일곱 가지 모듈 중 언어 모듈에 속하는데, 눈으로 활자를 따라 확인하는 과정, 시각적으로 활자를 분별하는 과정, 각각의 활자를 의미 단위로 묶는 처리 과정, 그 의미를 이해하는 과정 등으로 구성된다. 그리고 여기에는 지식 습득을 위한 읽기, 소설 속 등장인물에게 일어난 일을 확인하는 읽기, 단순한 유희를 위한 읽기 등 다양한 기능이 포함된다.

신경학적으로 볼 때, 처리 시스템은 뇌 속 여러 다양한 부위의 상호작용으로 진행된다. 이러한 처리 시스템(말하기, 읽기, 듣기, 쓰기)은 특정한 인지 활동을 거쳐 '상징'이란 결과물을 내는데, 여기서 '상징'은 말과 행동을 뜻한다(이와 관련하여 내가 만든 측지 정보처리 모델의 도식을 참고하라). 측지 모델에서 처리 시스템은 하나의 통로와 같다. 측지 모델의 처리 시스템을 통해 특정 변역(무엇을, 어떻게, 언제/왜)에 속한 지적 능력이 발현된다.

당신은 기능들을 선택하고 통합하는 일을 한다. 이에 대한 이해를 돕기 위해 '읽기'(처리 시스템)에 속해 있는 기능들을 예로 들어 보자. 어떤 글을 읽을 때, 당신은 사실 습득을 위해 읽을지, 단순한 유희를 위해 읽을지 그 기능을 선택하고 적절하게 통합한다. 이때 당신이 '완전한 나'를 따라 행하면, 기능들의 선택과 통합 능력은 극대화된다. 이에 처리 시스템(읽기)의 효율성이 최고조에 이르고, 인지 행동의 효과 역시 극대화된다. 그 결과 당신에게서는 최상의 말과 행동이 열매로 나타난다. 즉, 상황에 알맞은 말과 행동을 하게 된다는 뜻이다.

역동적 자기규제

소설을 읽거나 연설을 하려면, 특정한 처리 시스템이 활성화되어야 한다. 이렇게 처리 시스템을 활성화시키는 과정을 가리켜 '역동적 자기규제'라고 한다. 역동적 자기규제는 무의식을 작동시키는 매우 강력한 원동력이자 '완전한 나'를 움직이는 매우 독특한 요소이기도 하다.

앞에서 언급했듯이, 무의식은 24시간 내내 쉬지 않고 활동한다. 그러므로 무의식을 활성화시키는 역동적 자기규제 역시 항상 작동한다. 당신의 무의식은 분석 과정을 멈추지 않는다. 일상의 경험에 대한 반응을 통해 변화되고 성장하는 모든 기억을 끊임없이 분석하고, 청소하고, 읽어내고, 종합하는 것이다.

무의식의 이 같은 활동은 고차원의 의사결정을 책임진다. 물론 당신은 무의식의 활동을 알아채지 못할 수도 있다. 그렇다 해도 무의식에서의 의사결정 활동은 지속된다. 무의식의 역동적 자기규제는 사고와 학

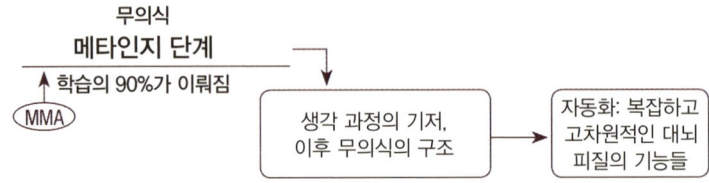

〈그림 5.1〉
측지 정보처리 모델

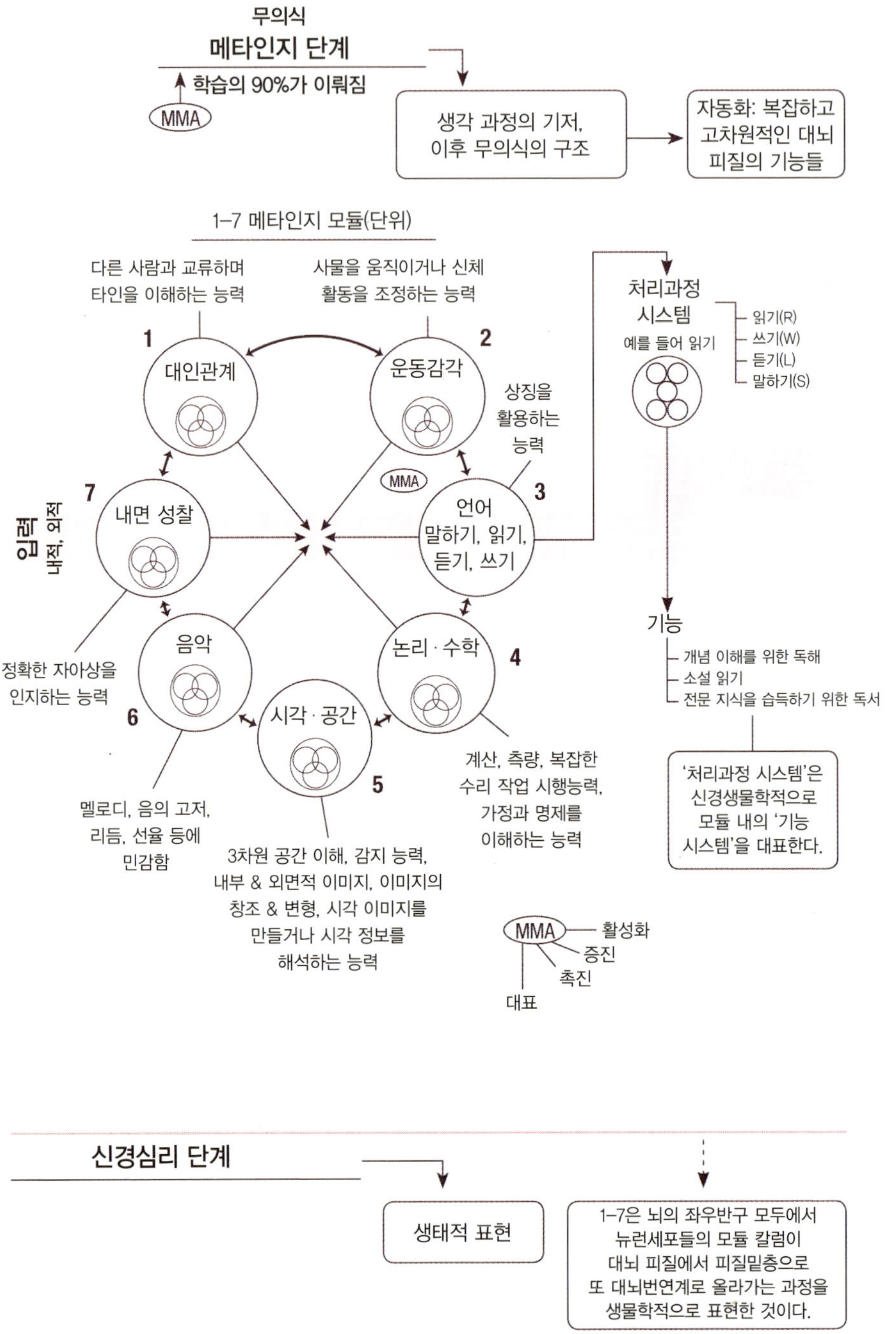

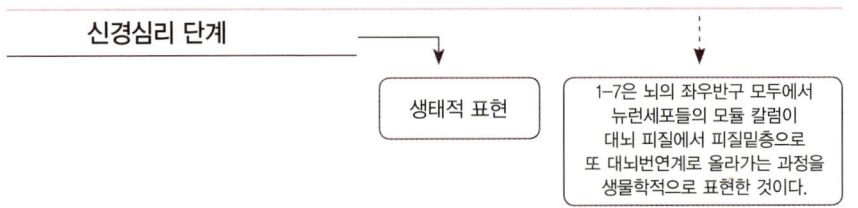

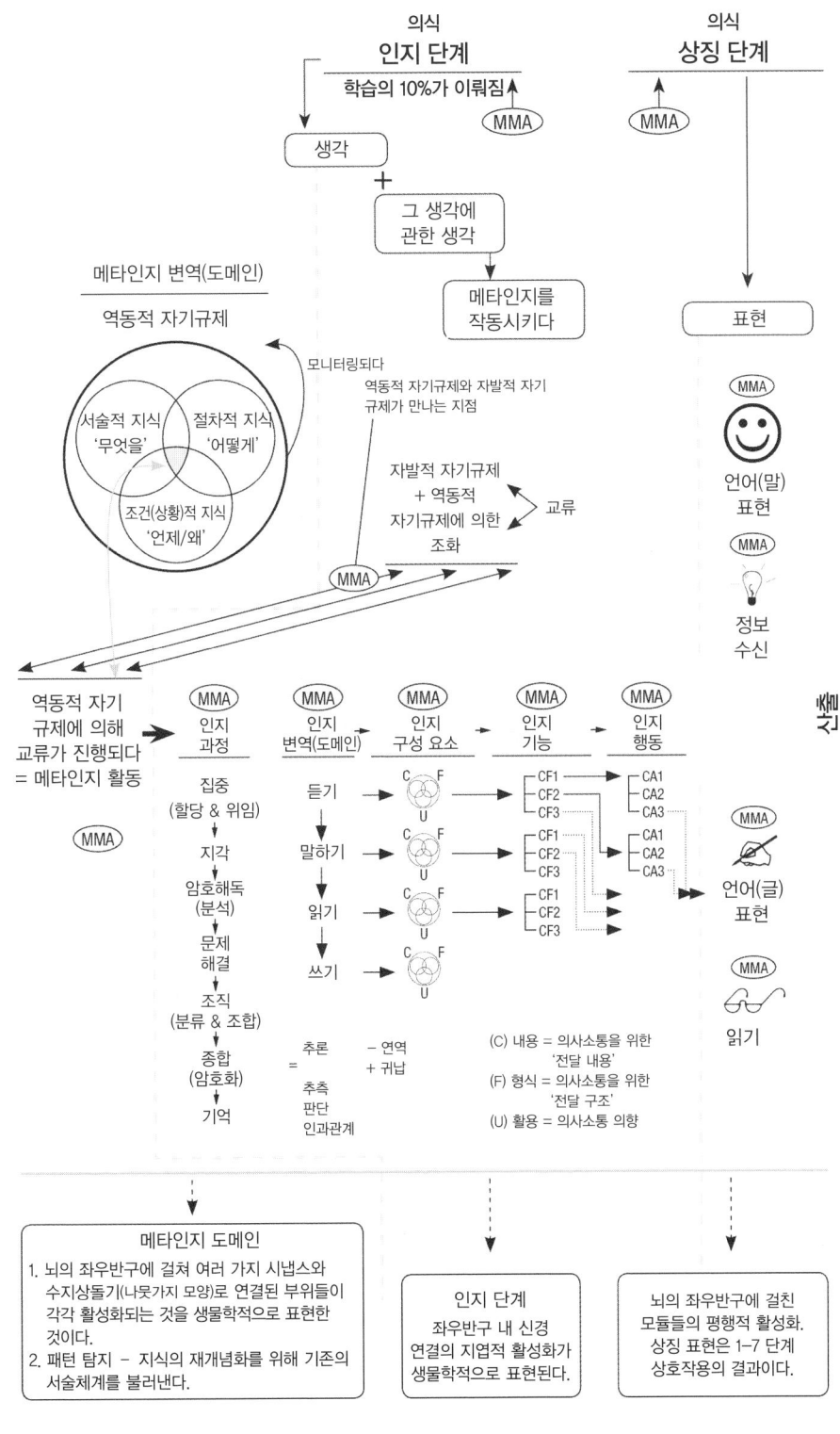

습의 90%까지 통제하고, 장기 기억 및 믿음체계(세계관)를 활성화하여 그 결과물을 의식의 영역으로 이동시킨다. 이에 우리의 의식은 기억과 믿음체계를 인식하고, 이렇게 인식한 기억과 믿음체계는 우리가 생각하고 느끼고 선택하는 방식에 지대한 영향을 미친다. 이를 내적 재건축 과정(기억의 재설계, 기억의 성장, 기억의 변화)이라고 한다. 내적 재건축이 진행되는 동안 역동적 자기규제는 일곱 가지 메타인지 모듈 안에 '경각심', '깨어 있는 의식'을 꾸준히 주입한다.

능동적 자기규제

의식의 영역에서 이뤄지는 인지적 사고를 '능동적 자기규제'라고 한다. 우리가 깊은 사고를 거듭할수록 의식의 영역에서의 능동적 자기규제는 무의식의 영역에서의 역동적 자기규제와 더욱 활발하게 교류한다. 성격상, 능동적 자기규제는 다분히 의도적인 성향을 띤다. 즉, 무언가에 집중하기로 결정한 당신의 선택에 의해 통제된다는 뜻이다. 능동적 자기규제의 효율성은 일정 시간 동안 당신이 무언가에 얼마나 깊이 집중하느냐로 평가된다.

기술記述체계 또는 기억이라고도 하는 생각은 의도적·반복적·의식적인 인지적 사고를 통해 자동화된다. 이 사실을 이해하는 것은 매우 중요하다. 우리가 무언가를 완전히 이해하기까지, 이러한 종류의 사고는 최소 63일(21일 주기 3회) 동안 반복되어야 한다.

메타인지 변역과 기술체계

일곱 가지 메타인지 모듈은 각각 '메타인지 변역(도메인)'이라 불리는 작동 시스템을 갖추고 있다. 메타인지 변역은 서술적 지식(무엇을), 절차적 지식(어떻게), 조건적 지식(언제/왜)을 이용하여 기술체계, 즉 패턴 형태의 기억들을 구축한다. 형성되는 기억에 패턴이 나타나는 것이다. 이렇게 구축된 기억(기술체계)은 믿음체계 또는 세계관으로 성장·발전하고, 더 나아가 우리의 태도에 스며든다. 여기서 태도는 기술체계가 확장되고 강화된 결과물이다.

우리는 매일, 매 순간 주변 환경에 융합된다. 환경을 보고 생각하고 느끼고 선택하면서 무언가를 배우고, 물리적 실체인 생각들을 뇌 속에 심는다. 이 정교하고 복잡한 과정은 생각, 감정, 선택, 이 세 타입의 지식이 메타인지 변역에 첨가되어 기억(기술체계)이 확장되고 견고해지는 과정이다.

이 과정은 우리의 마음속에서 24시간 내내 쉼 없이 진행되며, 심지어 우리가 잠을 잘 때에도 멈추지 않는다! 물론 우리는 자신의 마음속에서 어떤 일이 일어나는지, 일일이 알지 못한다. 그래도 우리는 참으로 멋진 지적 존재이다!

메타인지 영역에서 일어나는 일은 사람마다 다르다. 저마다 고유한 지각과 해석의 틀을 갖고 있기 때문에, 이를 기반으로 사람마다 다른 기억을 생성하고 저장하는 것이다. 따라서 동일한 사건을 접하더라도 이에 대한 기억은 저마다 다르다. 그리고 기억을 생성하고 저장하는 방식 또한 사람마다 다르다.

새로운 정보가 유입되면, 그에 맞는 독특한 방식으로 신경계 안의 다양한 메커니즘이 활성화되고, 그 결과 뇌 안에 구조적 변화가 일어난다. 이러한 과정 역시 사람마다 다르다. 뇌의 연산 장치들이 반복적으로 사용되고 서로 협력하고 교류할 때 지식이 형성되는데, 이렇게 만들어진 지식 역시 당신에게만 유용하고 유의미하다. 그러므로 측지 모델에서의 메타인지 변역은 "인간은 특정한 정보(지식)에 대해 자신만의 독특한 방식으로 민감해진다"는 사실을 말해 준다고 할 수 있다.

예를 들어 당신과 내가 동일한 정보를 접했다고 하자. 이때, 당신과 나의 마음은 작동하기 시작한다. 마음은 뇌의 회로판을 통해 정보를 분석해 낸다. 당신의 자기규제는 나의 자기규제와 완전히 다르기 때문에, 당신의 정보 이해(지식)와 나의 정보 이해(지식) 역시 완전히 다르다. 각 사람은 자신만의 '완전한 나'를 사용하여 자신만의 독특한 방식으로 일련의 정보처리 과정을 수행한다.

측지 정보처리 모델에서 기억은 인지 과정의 일부로 간주된다. 인지 과정이 진행되는 사이 새로운 기술체계는 재구성된다. 기억, 곧 기술체계의 재개념화가 이뤄지는 것이다. 이렇게 재개념화된 기억은 적절한 메타인지 모듈의 적절한 메타인지 변역에 서술적 지식, 절차적 지식, 조건적 지식의 형태로 저장된다. 이처럼 재개념화된 기억은 의식의 영역에서 강화된 후 메타인지 영역에 저장된다. 그리고 이렇게 저장된 지식은 훗날 새로운 지식들이 재개념화될 때 참고 자료로 활용된다.

메타인지 활동

의도적이고 고의적인 능동적 자기규제는 역동적 자기규제와의 교류를 활성화시킨다. 이 둘이 활발하게 교류한 결과는 깊은 생각인데, 이것을 가리켜 '메타인지 활동'이라고 한다. 기억을 형성하고 있는 '무엇을', '어떻게', '언제/왜' 등의 요소들은 깊은 생각을 통해 활발하게 교류하고, 그 과정 중 기억은 충분한 에너지를 얻어 의식의 영역으로 이동한다. 이렇게 무의식 속의 기억이 의식으로 이동할 때까지 메타인지 활동은 계속된다. 그러나 만일 생각이 깊지 않다면, 다시 말해 63일간 생각이 반복되지 않는다면, 그 생각은 무의식의 영역에 그리 큰 영향을 미치지 못할 것이다.[5] 참고로 의도적인 생각은 '이해력 증진'에 목적을 둔 생각으로, 능동적 자기규제와 역동적 자기규제의 상호교류를 통해 만들어진 결과물이다.

의도적인 생각, 깊은 생각은 당신의 세계관을 형성한다. 깊은 생각은 무의식의 영역에까지 뿌리를 내리는데, 그 뿌리가 무의식의 깊은 곳에 위치하므로 우리가 의식적으로 인지하기는 어렵다. 비록 의식적으로 이 같은 생각들을 떠올릴 수는 없지만, 무의식의 생각들은 생각, 느낌, 선택 등 의식의 최종 결과물에 큰 영향을 미친다. 무의식에 뿌리박힌 생각들이 의식 영역의 생각, 느낌, 선택에 영향을 미치는 것이다.

그러나 무의식의 생각들을 인지하는 것이 전혀 불가능하지만은 않다. 만일 우리가 '완전한 나'를 통해 깊은 생각에 잠긴다면, 무의식에 내재한 생각들을 인지할 수 있다. 왜 그런가? '완전한 나'가 무의식의 생각들에 충분한 에너지를 부여하여 그것을 의식의 영역으로 이동시키기 때문이다. 충분한 에너지를 부여받은 무의식의 생각들은 의식의 영역으로 이동하게 되어 있다. 우리는 '완전한 나'의 깊은 사고를 통해 무의식의 생각들을 의식의 영역으로 이끌어 내어 성찰할 수 있다.

그러므로 메타인지 활동은 '완전한 나'를 통해 형성되고 표현되는 깊은 생각, 깊은 느낌, 깊은 선택이다. 무의식의 기억이 에너지를 얻어 의식의 영역으로 이동할 때, 당신은 그 기억을 인식하게 된다. 물론 그렇게 인식한 기억이 현재 당신이 집중하고 있는 생각에 영향을 미칠 수도 있고, 그렇지 않을 수도 있다. 그것은 당신의 의식적 선택에 달렸다.

무의식의 기억이 의식의 영역으로 이동할 때, 그것과 연관된 기억들도 무의식에서 의식으로 이동한다. 즉, 새로운 지식들(연관 기억)이 기억에 첨가되어 당신의 경험은 확대되고 풍성해진다. 우리가 더욱 깊은 생각에 빠질수록 기억의 통합 방식은 더 나아진다. 게다가 깊은 사고는 우리가 인지한 새로운 정보 조각들로 기억을 재구성한다. 우리는 단지 기억 속에 새로운 사실들을 첨가하는 것이 아니다. 만일 당신이 깊게 사고하는 사람이 아니라면(의도적으로 집중하여 생각하지 않고, 반복하여 생각하고 느끼고 선택하지 않으며, 자신이 배운 것에 대해 책임지려고도 하지 않는다면), '입력'$_{input}$은 인지적 · 감정적 · 행동적 · 학문적 변화를 일으킬 만큼 강력하지 않을 것이다.

연구 결과 밝혀진 바에 의하면, 우리가 '완전한 나'를 따라 자신만의 방법으로 깊이 사고하면 뇌의 신경가소성이 활성화된다고 한다. 실제로 깊은 사고를 통해 우리의 뇌가 변하는 것이다.[6] 마음은 뇌 속 뉴런과 마음의 신호에 의해 생성된 기억들이 저장되는 수지상돌기의 활동을 읽어 내고 분석한다. 우리가 더욱 깊이 생각하는 메타인지 활동량을 늘려갈

수록 물리적 형태의 기억에 더 많은 영향을 끼치게 되고, 그 결과 기억은 더 많은 변화를 겪게 된다. 이제 기억은 추후의 메타인지 활동을 통해 '다시 읽혀질' 준비가 된 상태이다. 곧 기억의 재개념화가 이뤄질 것이다. 물론 우리의 뇌가 제대로 작동해야 이 모든 과정이 차질 없이 진행된다.

이러한 과정이 어떻게 진행되는지, 당신의 배우자와 대화 나눌 때를 예로 들어 보겠다. 지금 배우자와 나눈 대화는 과거에 이와 비슷한 내용으로 대화한 기억을 활성화시킨다. 당시 배우자의 반응이나 대화의 결과 역시 지금과 별반 다름없다. 어쩌면 그때의 기억이 좋았을 수도 있고, 나빴을 수도 있다. 이제 과거의 기억들은 앞에 언급한 일련의 처리 과정을 거쳐 '완전한 나'의 필터에 걸러진 후 당신만의 고유한 생각, 느낌, 선택으로 조합되어 의식의 영역으로 들어간다. 이때, 당신의 선택은 자신만의 독특한 태도와 풍미를 지닌 말과 행동으로 표출되어 배우자와의 대화 속에 녹아든다.

만일 당신이 '완전한 나'를 이탈해서 유해한 선택을 하거나 당신의 뇌가 어떤 형태로든 손상을 입은 상태라면, 당신의 입에서 나올 말과 행동은 왜곡될 것이다. 듣는 경우도 마찬가지다. 당신이 '완전한 나'를 이탈한 상태라면, 상대의 말과 행동에 대한 이해와 해석이 왜곡될 것이다. 결국 대화를 할 수가 없고, 논쟁만이 있을 것이다.

준비 전위

과학자들은 '준비 전위' readiness potential, 인간이 행동하려고 의식하기 전, 그 행동을 일으키기 위해 뇌 안에서 일어나는 전기적 활동 – 역자 주 안에서의 무의식적 '역동적 자기규제' 활동이 어떻게 이뤄지는지 그 경위를 추적한다. 준비 전위는 역동적 자기규제와 능동적 자기규제의 교류(의식과 무의식의 교류)에 개입한다. 참고로 역동적 자기규제와 능동적 자기규제의 상호교류를 활성화시키는 것은 의도적이고 깊은 사고이다.

일단 둘 사이의 상호교류를 통해 인지 과정이 시작되는데, 이것은 메타인지에 의해 규제되며 메타인지 처리 시스템(말하기, 읽기, 듣기, 쓰기)을 가동하여 상징(말과 행동)이라는 결과물을 생산해 낸다.

이제 인지와 메타인지의 연계성을 살펴보자. 인간의 의식 연구 분야에서 개척자와 같은 노벨상 수상인 벤자민 리벳은 인지와 메타인지에 대한 연구를 시행했다. 그의 연구는 인지와 메타인지를 대상으로 한 초창기 연구 중 하나였다.[7] 리벳의 연구는 내가 졸업논문을 처음 시작할 즈음인 1980년대 초반부터 시작되었는데, 그의 연구는 인간의 의식 문제를 다루는 수많은 후배 과학자들의 연구 선례가 되었다.

리벳은 피실험자들에게 뇌에서 일어나는 전기 활동 측정 기구인 EEG를 연결한 후 그들에게 간단한 운동, 이를테면 버튼을 누르는 등의 자의적 운동을 요청했다. 그리고 다음과 같은 주의사항을 일러두었다. "어떤 버튼을 누를지 결정할 때, 그 선택에 의식적으로 집중하시기 바랍니다." 실험 결과, 어떤 버튼을 누를지 의식적으로 선택하기 직전인 대략 0.2초 전, 피실험자들의 뇌에서 '의식 활동'이 시작되었다는 것을 알 수 있었다. 리벳은 이러한 현상을 발견하고 이를 '준비 전위'라 불렀다. 그리고 어떠한 의식적 활동이 시작되기도 전에 피실험자들에게서 무의식의 활동이 나타난다는 것을 알아냈다(리벳은 피실험자들에게서 의식의 활동이 시작되기 전, 대략 0.35초 즈음에 무의식의 활동을 관찰했다). 이후의 연구는 인간이 무언가를 의식적으로 선택하기 전 무의식에서 일어나는 강화 현상을 10초 전까지 추적해 냈다. 적어도 의식 활동이 일어나기 10초 전부터 무의식이 작동하기 시작한다는 사실을 밝혀낸 것이다.[8]

그러나 유물론을 추종하는 사람들은 리벳의 실험 결과를 자기 입맛에 맞게 해석하고, 이를 근거로 "인간에게는 자유의지(선택 능력)가 없다"고 주장한다. 그들은 다음과 같이 말한다. "이와 같은 연구는 의식의 주체가 '뇌'라는 사실을 보여 줄 뿐이다. 인간이 의식적 결정을 내리기 전, 준비 전위가 시작되는 것만 보더라도 이 사실을 알 수 있다. 뇌가 인간의 생각을 지배한다."[9] 그들은 인간에게 자유의지가 있다는 사실을 부인하기 위해 이러한 입장을 강력히 내세운다.

그러나 추후에 이뤄진 많은 연구는 그들의 주장이 잘못되었음을 보여 주었다. 인간이 의식적인 결정을 내리지 않을 때에도, 여전히 준비 전위가 시작된다는 연구결과가 속출했기 때문이다. 즉, 의식적인 결정과 상관없이 준비 전위가 시작되는 것이 관찰되었다. 일례로 한 실험에서 피실험자들의 눈앞에 여러 모양의 물체를 지나가게 한 후, 정육면체가 나타날 때에만 버튼을 누르도록 요청하였다. 그런데 피실험자들의 뇌 활동을 관찰해 보니 자극이 주어지기도 전에 이미 버튼을 누르려는 준비 전위가 시작된 것을 알 수 있었다.

우리의 실험결과는 매우 놀랍습니다. 자극이 주어지기 훨씬 전부터 운동 반사 전에 일어나는 신경활동이 활성화된다는 사실을 알게 되었으니까요. 어떤 도형도 보여 주지 않은 상태였기 때문에 실험 참가자들은 왼쪽 버튼을 눌러야 할지, 오른쪽 버튼을 눌러야 할지 알 수 없었습니다. 그럼에도 그들의 신경활동은 이미 활성화되었습니다.

게다가 자극이 주어지기 전에 신경활동이 활성화되었으므로, 왼쪽 버튼을 누르겠다는 결심에서의 신경활동 양상과 오른쪽 버튼을 누르겠다는 결심에서의 신경활동 양상은 별반 다르지 않았습니다. 즉, 이것은 둘 중 하나의 버튼을 누르기 위해 결심하고 준비하는 과정으로 볼 수 없습니다.[10]

그러므로 우리는 "뇌가 어떤 버튼을 누르도록 결정했다"고 말할 수 없다. 준비 전위는 눌러야 할 버튼이 있든 없든, 이미 작동했기 때문이다. 다시 말해서 뇌는 결정의 주체가 아니라는 뜻이다. 우리가 결정을 내리는 시점에 뇌가 아닌 다른 무언가가 결정 행위를 주도한다. '왜 인간은 이런저런 결정을 내리는가?'에 대해서는 뇌를 보아서는 답할 수 없다. 왜냐하면 뇌는 그 사람의 경험이나 자유의지에 대해 아무것도 알려주지 못하기 때문이다.

리벳은 자유의지의 존재를 부인하지 않았다.[11] 그는 뇌의 활동이 지속되는 동안에도 인간의 마음이 이를 거부할 수 있다는 사실에 주목했다. 그는 이러한 현상을 '의식적 거부'라고 불렀는데, 이것은 성경 전반에 걸쳐 등장하는 자유의지를 지지해 준다. 혹 뇌가 자발적으로 작동하여 특정 임무를 수행한다 해도, 최종 결정권은 뇌가 아닌 마음 또는 자아(완전한 나)에 있다. '완전한 나'는 뇌의 활동을 막기도 하고, 거부하기도 한다. 그렇다. 우리의 '결정'이 중요하다!

앞에 소개한 연구는 우리의 뇌가 자발적으로 행동한다는 것을 증명해 내지 못했다. 뇌에는 자동 조종 장치가 없다. 몇몇 저명한 유물론자들의

주장과 달리, 자유의지는 결코 허상이 아니다.[12]

오히려 뇌는 무의식에 반응하는 양상을 나타낸다. 혹은 무의식에 영향을 받는 것처럼 보인다고도 할 수 있다. 참고로 무의식을 지휘하는 것은 역동적 자기규제이다. 그리고 무의식의 기억들 중 어떤 것을 의식의 영역으로 이동시킬지 선택하는 과정은 우리의 무의식 영역을 조화롭게 만든다. 결국, 역동적 자기규제와 기억을 선택하는 과정이 우리의 무의식 안에 조화를 이루고, 우리의 뇌는 이러한 무의식에 반응하는 것이다. 일단, 무의식 속의 기억이 의식의 영역으로 이동하면, 우리는 '완전한 나'의 필터로 그 기억을 걸러내어 필요한 정보를 뽑아내고, 그렇게 얻은 정보를 생각하고(생각) 느끼면서(느낌) 그 정보에 따라 행동할지, 거부할지 선택한다(선택).

앞에서 언급한 배우자와의 대화를 다시 한 번 이야기해 보자. 당신은 과거, 배우자가 보였던 무례한 반응(기억)을 떠올린다. 하지만 그 기억을 잊기로 선택하고(의식적 거부) 그에게 '무죄추정'의 이익을 안길 수 있다. 혹은 배우자가 무례하게 반응했던 사실을 잊지 않기로 선택하고 논쟁을 이어갈 수도 있다. 참고로, 만일 당신이 '완전한 나'를 따라 행한다면, 당신은 배우자에게 '무죄추정'의 이익을 안겨 줄 것이다. 왜냐하면 '완전한 나'는 두려움이 아닌 사랑의 기반 위에서 작동하기 때문이다.

성령의 역할

'완전한 나'를 유지하며 일상의 사건들에 올바르게 반응하기 위해, 우리는 매일같이 성령의 뜻을 따라야 한다.[13] 당신은 마음과 태도를 바꿔 달라고 성령님께 요청할 수 있고, 어떻게 반응하고 행동해야 옳은지 가르쳐 주시기를 간구할 수 있다(요 14:15-17, 26, 16:12-15, 행 2:38, 롬 15:13, 갈 5:22-23). 만일 우리가 성령의 음성을 듣기로 선택하고 불쑥불쑥 일어나는 부정적인 생각과 감정과 선택에 대해 '의식적 거부권'을 행사하기로 마음먹으면, 성령께서는 우리를 바른 길로 인도하실 것이다. 이렇게 할 때, 우리는 "쉬지 말고 기도하라"(살전 5:17)는 성경의 명령을 수행하게 된다.

영적 민감성(의식적 경각심)의 개발에는 성령과의 끊임없는 대화가 필수이다. 성령님과의 교제는 영적 건강은 물론 정신적·육체적 건강에도 필수적이다. 우리가 주의 깊은 마음가짐(태도)을 견지할 때, '완전한 나' 안에 머물 확률은 높아진다. 이에 우리의 통찰력과 자기규제 능력이 개선되고, 건전한 지식탐구욕도 높아진다. 무의식의 지식 저장고 안으로 들어가는 빈도 역시 잦아진다. 그뿐만이 아니다. 당신은 무의식의 유해한 사고(생각)가 불러들일 문제점을 미리 깨닫고, 이에 대한 경각심을 높이게 된다. 일단 유해한 태도가 제거되면, 그 자리에 건강한 사고방식을 장착하는 일이 훨씬 쉬워진다.

당신의 '완전한 나'는 참된 지식을 향한 갈망을 불타오르게 한다. 그러므로 지금 당신이 '완전한 나' 안에 거한다면, 참된 지식을 갈망할 것이다. 그리고 그렇게 얻은 참된 지식을 어떻게 해석하고 적용할지, 그 방법을 진지하게 생각할 것이다. 이때, 그 방법을 찾도록 도와주는 것 역시 '완전한 나'이다.

깊은 사고는 지혜로 이어진다. 그리고 지혜는 더 많은 지식의 필요성을 깨닫게 한다. 이에 당신은 더 많은 지식을 갈망하게 되고, 그 결과 더 많은 지혜를 얻게 된다. '완전한 나'로 인해 이러한 선순환이 지속되는데, 나는 이것을 '지혜 모델'이라 부른다. 이것은 '완전한 나'를 따라 살아갈 때 얻을 수 있는 유익이다.

일곱 가지 메타인지 모듈의 활동은 인간만이 지니는 '고유성'이다. 메타인지 모듈 간 상호교류가 활발해질수록 당신의 사고는 더욱 깊어지고, 당신의 사고가 깊어질수록 당신은 점점 더 지혜로운 사람이 될 것이다.

지혜는 메타인지 모듈의 상호교류가 빚어낸 총체적 열매이다. 만일 당신이 의식적이고 의도적으로 메타인지 모듈의 상호교류 활동을 개선시키면(생각, 감정, 선택의 질을 높이면), '완전한 나' 역시 개선된다.

당신과 나의 '완전한 나'는 이렇게 다르다

당신과 나의 '완전한 나'는 다르다. 이는 사람마다 메타인지 모듈의 조합 방식이 다르고, 메타인지 변역(도메인)이 다르며, 그 처리 시스템이 다르기 때문이다. 역동적 자기규제, 능동적 자기규제의 메타인지 활동도 다르고, 자신의 마음(생각)을 운영하는 방법 또한 사람마다 다르다.

'완전한 나'는 행동의 내용과 이유와 방법과 시기에 영향을 미친다. 즉 '무엇을, 어떻게, 언제/왜' 행하는가에 영향을 미치는 것이다. 거기에 더하여, 역동적 자기규제와 능동적 자기규제를 통해 마음(생각)을 운영하는 방식에도 '완전한 나'가 영향을 미친다.

우리는 다음 장에서 UQ 검사에 대해 살펴볼 것이다. UQ 검사를 통해 당신은 '나만의 유일한' 자아를 발견하게 될 것이다. '완전한 나'의 발견은 '정체성 인식'으로 이어진다. 왜냐하면 '완전한 나'를 통찰할 때, 비로소 진정한 자아를 깨달을 수 있기 때문이다. 그 결과 당신의 생각, 느낌, 선택 능력이 계발된다. 생각, 느낌, 선택 능력의 개선이 가져올 결과는 한 마디로 '지적 사고'의 증진이다. 이 책의 3부에서 '불편한 구역'과 '메타인지 모듈 훈련'을 소개할 텐데, 우리가 불편한 구역의 개념을 이해하고 메타인지 모듈을 훈련해야 하는 까닭은 '지적 사고'의 증진을 도모하기 위해서이다.

일곱 가지 메타인지 모듈은 서로 뒤엉킨 상태에서 동시에 작동한다. 그러나 작동하는 방식은 사람마다 다르다. 각 사람에게 고유한 메타인지 모듈 작동방식은 개개인의 생각, 느낌, 선택에 영향을 주어 각 사람의 생각, 느낌, 선택을 독특하게 만들어 준다. 우리 모두는 생각하고 느끼고 선택하는 능력을 갖고 있다. 하지만 각 사람의 '완전한 나'가 다르므로 각각의 생각과 느낌과 선택이 다른 것이다. '완전한 나'는 개인의 고유한 특징이다. 이는 사람들의 지문이 서로 다른 것과 같다.

일곱 가지 모듈이 동시에 작동할 때 발산되는 힘(합계 강도)은 각 모듈을 따로 계산해서 합한 힘보다 더 크다. '시너지 효과'가 메타인지 모듈의 활동에도 적용되는 셈이다(부분의 합이 지닌 힘은 모듈식 관점의 근본 원리이다). 일곱 가지 모듈이 얼마나 조화롭게 상호작용하느냐에 따라 뇌 외피가 수행하는 고차원적 작업의 질이 결정된다. 그런데 모듈 간의 조화로운 상호작용은 일곱 가지 모듈을 모두 활성화시킬 때에만 가능하다(그러므로 일곱 가지 모듈을 동시에 활성화시킬 훈련이 필요하다). 만일 당신이 '완전한 나'의 상태를 이탈했다면, 안타깝게도 모듈 중 일부만이 활성화될 것이다. 그렇게 되면 모든 모듈이 활성화되지 않으므로, 모듈 간의 조화로운 상호작용이나 양질의 뇌 외피 기능을 기대하기가 어렵다.

다음 장에서 소개할 UQ 검사를 통해 당신은 일곱 가지 메타인지 모듈이 어떻게 상호작용하여 사고, 감정, 결정방식을 이뤄내는지 알게 될 것이다. UQ 검사는 메타인지 모듈의 활동에 대해 배울 수 있는 기회이다.

UQ 검사는 '나의 생각'은 무엇이고, 또 나는 누구인지 알려 준다. UQ 검사의 결과물은 '패턴 발견'pattern detection 이다. 이것은 자신의 마음에 내재한 기억을 불러 일으켜 인식하는 방법이다. 즉, 자신만의 독특한 사고의 틀을 확인하는 방법이 패턴 발견이다. 이것은 메타인지, 인지, 뇌의 구조물이 각 사람의 독특한 방식으로 복잡하게 상호작용한다는 사실을 알려 준다.

또한 3부에서는 우리가 언제 '완전한 나'를 이탈하는지 알기 위해 '불편한 구역'에 대해 배울 것이다. 그런데, 무엇보다 중요한 것은 어떻게 해야 '완전한 나' 안에 가능한 오래도록 머물며 매일의 삶 속에서 하나님의 영광을 드러낼 수 있는가 하는 것이다. 이것은 부록에서 다룰 것이다. 부록의 후반에 소개한 메타인지 모듈 훈련은 어떻게 해야 우리의 뇌를 '집중 상태'로 유지할 수 있는지, 또 어떻게 해야 생각과 느낌과 선택을 자기규제할 수 있는지 알려 준다.

자신의 정체를 알고 깨달을 때, 우리의 선택능력이 개선된다. 선택능력의 강화는 자신의 삶뿐 아니라 주변 사람들의 삶에도 영향을 미친다. 그러므로 꽁꽁 묶여 있는 '완전한 나'를 풀어내라. 이것은 선택사양이 아니라 필수이다. 선하고 행복한 삶을 영위하기 위해 당신은 반드시 '완전한 나'를 풀어내야 한다.

학습

'완전한 나' 안에 거할 때, 우리의 학습 능력은 놀랍도록 향상된다. 사실, 생각과 느낌과 선택은 결국 학습으로 귀결되기 때문에 올바르게 생각하지 않을 때에도 무언가를 배우게 된다. 다시 말해서 '완전한 나'를 벗어났을 때에도 무언가를 배운다는 것이다. 물론 이 상태에서 배운 것은 결코 좋을 리 없겠지만 말이다. 그러므로 자신이 무엇에 집중하여 생각하는지 주의하여 살펴야 한다. 왜냐하면, 부정적인 것을 배울 수도 있기 때문이다.

학습을 다른 말로 표현하면, '지식의 창조적 재개념화'이다. 새로운 정보를 자신만의 독특한 방식으로 수용하고, 또 그것을 재개념화하여 인식하는 것이 배움이다. 이러한 배움은 능동적·역동적 자기규제에 의해 통제된다.

학습의 질은 각 사람의 관여도에 따라 달라진다. 배움은 언제 어디서나 이뤄질 수 있다. 또한 무엇을 배우느냐가 삶의 의미를 좌우한다. 왜 그런가? 학습이 우리의 세계관을 조성하기 때문이다. 우리는 사물을 볼 때, 세계관이라는 사고의 필터로 걸러내고, 그렇게 걸러낸 것을 나만의 고유한 지식으로 수용한다.

'완전한 나' 안에 머물 때, 우리는 건강한 방법으로 학습하여 건강한 기억을 쌓는다. 하지만 '완전한 나'에서 이탈할 경우, 우리는 왜곡된 방식으로 학습하여 유해한 기억을 쌓게 된다. 이렇게 쌓인 유해한 기억은 우리의 뇌와 몸에 손상을 입힌다.

스스로에게 다음과 같이 물어 보라. "과연 나는 기억의 저장고에 어떤 기억을 쌓아 두길 원하는가?" 가장 많이 생각하고 가장 많이 집중한 것이 가장 크게 자라나는 법이다. 그렇게 오랫동안 반복하여 생각해 온 것들이 우리의 믿음체계(관점 또는 세계관)를 형성하고 세계관에 영향을 미친다. 속담이 말해 주듯, "사랑하면 닮아간다." 당신이 무언가를 사랑하면, 당신은 그것처럼 변해 가게 되어 있다. 물론 무엇을 사랑하느냐에 따라 우리가 경험하게 될 변화는 달라진다. 그것은 긍정적인 변화일 수도 있고, 부정적인 변화일 수도 있다.

'완전한 나'를 따라 살면, 당신은 창조된 본연의 모습인 거룩한 하나님의 형상을 닮아갈 것이다. 예수 그리스도께 집중하며 그분의 성품을 배우기 때문에, 점점 더 그분의 모습을 닮아가고, 그 결과 당신에게서 하나님의 영광이 발산될 것이다.

바울이 빌립보에 보낸 서신에도 '완전한 나'가 언급되어 있다. 물론 그것을 직접 언급한 것은 아니지만 말이다. 바울은 빌립보 성도들에게 다음과 같이 권면했다. "무엇에든지 참되며 무엇에든지 경건하며 무엇에든지 옳으며 무엇에든지 정결하며 무엇에든지 사랑 받을 만하며 무엇에든지 칭찬 받을 만하며 무슨 덕이 있든지 무슨 기림이 있든지 이것들을 생각하라"(빌 4:8).

우리가 위의 것(하나님께 속한 것)을 생각하면, 하나님을 닮아간다. 우리 마음에 새겨진 말씀만이, 구글에서 찾은 정보도 아니고 풍문으로 들은 이야기도 아닌 하나님의 말씀만이 우리의 영혼을 구해 낼 수 있다(약 1:21). '완전한 나'를 따라 생각을 바꾸어 나갈 때, 우리가 최종적으로 거두게 될 열매는 말과 행동의 변화이다. 이 사실을 잊지 말라. 잠언의 말씀처럼 우리는 생각하는 대로 변한다. "대저 그 마음의 생각이 어떠하면 그 위인도 그러한즉"(잠 23:7).

'완전한 나'의 양자적 측면과 측지 모델

앞에서 이야기했듯, 우리 각 사람이 '완전한 나'를 통해 지식을 얻는 방식은 제각각이다. 그런데 이러한 앎의 방식이 우리의 뇌를 변화시킨다. 쉽게 말해, 뇌가 마음에 반응하여 변하는 것이다. 이러한 마음과 뇌의 상호교류를 보여 주는 것이 '양자이론'이다. 양자이론은 특히 수학을 이용하여 마음과 뇌의 상호교류를 설명한다.[14]

회로판과 같은 인간의 뇌는 마음에 의해 작동된다. 그런데 마음에 의해 뇌가 작동된다는 사실은 고전물리학으로는 입증할 수 없다. 이는 양자물리학자이자 수학자인 헨리 스태프가 말한 바와 같다.

양자역학의 탄생을 기점으로, 이 세상은 고전물리학과의 결별을 시작했다. 그중 가장 극단적인 결별을 꼽자면, '역학적 계산 기계'에 인간의 의식을 도입하려는 양자역학 선구자들의 노력일 것이다 인과와 계산으로 작동되는 기계 같은 법칙 속에 '자유의지'를 지닌 인간의 의식을 도입했다는 뜻으로, 뇌의 활동이 인간의 의식을 좌우한다는 고전적 기계론의 입장을 종식했다는 뜻이다 - 역자 주. 이 새로운 접근법의 등장은 고전물리학과의 혁명적 단절을 불러왔다. 이제 인간의 의식을 설명하려는 고전적 방법의 성공은 어디까지나 '의식' 자체를 공식 안에 들여 놓지 않았기에 가능했던 일로 치부된다. 고전적 접근법은 인간의 의식을 설명하는 데 있어서 더 이상 유효하지 않다.

이제 논리적이고 실질적인 이론의 필요성이 대두되었다. 이에 양자역학

창시자들은 새로운 이론을 만들었다. 그들은 자신들의 이론에 '수동적 관찰자'(고전물리학자들도 '수동적 관찰자'는 포함시켰다)와 인간의 의식 속에 수동적으로 흘러들어간 지식뿐 아니라, 그와 정반대로 작동하는 '능동적 의식'까지 포함시켰다. 여기서 능동적 의식이란, 마음속의 의도를 기계적인 물질세계에 능동적으로 투사해 내는 인간의 의식을 말한다. 즉, 양자물리학자들의 새 이론에는 인간의 의식이 '능동적 요인'으로 등장한다는 뜻이다.

사실, 인간은 어떤 행동을 할 때마다 마음속의 의도를 드러낸다. 이것은 너무나 당연한 말 아닌가? 그러나 고전물리학의 입장에서 볼 때, 인간의 행동은 능동적이지 않다. 고전물리학에서 인간의 행동은 물리적 기계론(인과관계)에 입각한 수동적 결과물일 뿐이다. 여기에서 마음이나 의도는 배제된다.

하이젠베르크와 그의 동료들은 소위 '고전적 기계 법칙의 양자 일반화'를 제시했다. 그러나 이 이론에는 일반적인 결함이 있기 때문에 그 자체로 완벽한 역학이론이 될 수 없다. 이 역학을 완성하기 위해서는 무언가 다른 것이 필요하다.[15]

인간의 의식 및 선택능력에 대해 연구할수록 우리는 고전물리학이 말하는 '기계론적 인간'이 잘못된 개념임을 점점 더 분명하게 깨닫게 된다. 인간이란 존재는 원인과 결과로만 설명할 수 있는 생물학적 기계가 아니다. 스태프는 다음과 같이 물었다. "고전물리학은 '모형 행성' 같은 소립자들의 움직임이 인간의 감정과 이해와 지식을 불러일으킨다고 말한다. 그러나 이를 증명할 수 있는가? 고전물리학은 '언젠가' 물질과 감정의 연관성이 밝혀질 것이라고 말한다. 그러나 고전물리학이 내세우는 이론이란 것이 그 둘 사이의 연관성 자체를 배제하는데, 과연 가능하겠는가?"[16]

고전물리학은 당신의 경험을 중요하게 여기지 않는다. 왜냐하면 고전물리학은 '미리 정해진 물리 세계'(인과관계로 규정할 수 있는 세계)를 연구 대상으로 삼기 때문이다. 그러므로 여기에 당신의 생각이나 경험은 끼어들 자리가 없다. 당신은 그저 '미리 정해진 물질계' 안에서 인과 법칙대로 움직이는 존재일 뿐이다. 기껏해야 변화(진화)하는 자기 몸(물리적 실체)을 지켜보는 관찰자 정도라고나 할까?

우리 눈에 보이지는 않지만, 인간이 지닌 의식과 선택에는 엄청난 능력이 내재한다. 하지만 유물론자들은 그 같은 능력이 존재한다는 사실조차 부인한다. 그들은 자신들의 환원주의 패러다임을 신봉하며, 이에 이의를 제기하는 과학적 설명은 무시해 버린다. 그러면서 '언젠가' 인간의 감정과 물질의 연관성이 밝혀질 것이라는 말만 되풀이할 뿐이다. 과연 그때가 언제인가?

양자역학을 창시한 공로로 1932년 노벨상을 수상한 베르너 하이젠베르크는 고전 법칙의 양자 일반화를 제안했다. 하지만 그의 이론에는 여전히 인과적 간격(결함)이 존재한다.[17]

무엇이 뇌를 변화시키는가? 고전물리학의 주장처럼, 법칙 자체가 뇌 변화의 원인이 될 수는 없다. 법칙은 스스로 가동되지 않는다. 누군가 혹은 무언가가 법칙을 가동해야만 한다. 존 폰 노이먼의 양자역학은 '인과적 간격'을 메우기 위해 '자유 선택 의지'를 지닌 인간을 상정하였다.[18] 참고로 '자유 선택 의지'를 다른 말로 하면 '완전한 나'이다.

하이델베르크는 숫자를 행위로 대체하여 개별 관찰자를 양자역학의 중심으로 재편시켰다. 여기서 숫자는 기계와 같은 '물리 시스템'을 대변한다. 반면 숫자를 대체한 행위는 물리 시스템을 관찰하는 '자유의지의 소유자'를 대변한다.[19]

'숫자를 대신하는 행위' 이론은 고전물리학의 유물론에 반기를 든다. 앞에서 설명한 '상호 이원론'의 경우처럼, 마음(생각, 개별 관찰자)은 뇌(물리적 실체, 숫자)를 자유롭게 변화시킨다. 각 사람의 '완전한 나'가 자유롭게 선택한 의도와 인식이 그의 물리 시스템(뇌) 안에 주입되어 그 시스템을 구조적으로 변화시킨다. 그리고 뇌의 구조가 변화된 결과, 말과 행동이 달라지고, 말과 행동의 변화로 인해 뇌 안에서는 더 많은 물리적 변화가 일어난다. 결국, 우리가 속해 있는 (자신의 몸을 포함한) 물리 세계가 변화된다! 이처럼 선택에는 엄청난 능력이 내재한다. 신명기는 이러한 선택에 생명과 사망이 달려 있다고까지 말한다(신 30:19).

'폰 노이먼 양자역학 정통 공식'은 이와 같은 마음과 뇌의 연관성을 설명한 양자이론이다. 이 이론은 인간의 심리 표현(마음)이 물리적 표현(뇌)에 어떤 영향을 미치는지를 언급한다. 마음속 생각이 말과 행동으로 이어지고, 그 결과 뇌가 변화되는 일련의 과정을 근간으로 하는 것이다. 쉽게 말해, 이것은 기초 물리 법칙을 동원하여 마음과 뇌의 일반적 연관성을 구체화해 주는 이론이다.

데카르트는 마음과 뇌의 연계성을 언급한 심신이원론의 주창자이지만, 그의 심신이원론은 거센 반박을 이겨내지 못했다. 사실, 데카르트의 심신이원론은 인간의 마음이 어떤 식으로 뇌에 영향을 주는지 제대로 이해하지 못한 결과이다. 그러나 폰 노이먼 양자역학 정통 공식은 심신이원론의 주요 반박 논리보다 훨씬 더 강하다.

인간의 의식은 "원자의 무분별한 춤을 아무 비판 없이 '있는 그대로' 수용하는 증인들"과 같지 않다.[20] 우리는 원자나 DNA가 시키는 대로, 그 장단에 맞춰 춤추고 놀아나는 존재가 아니다.

양자물리학과 양자 신경생태학이 보여 주듯, 인간의 뇌는 양자적 특성을 지니고 있다. 그러므로 고전물리학으로는 뇌의 양자적 본질을 제대로 설명할 수 없다. 신경에서 발생하는 이온화 과정만 봐도 그렇다. 이 과정은 원자 차원에서 일어나므로, 그 규모가 너무 작아 고전물리학으로는 설명할 수 없다. 그런데 바로 이 이온화 과정이 인간의 뇌를 통제한다. 그러니, 고전물리학으로 뇌의 양자성을 설명하기는 불가능하지 않겠는가? 고전물리학의 한계를 보여 주는 또 다른 예로는 세포 유출 과정이 있다. 세포 유출은 우리의 뇌가 신경전달물질 분자를 시냅스로 쏟아 붓는 프로세스를 말한다. 그런데 이를 설명하려면, 좀 더 미세하게 조정된 양자역학 기술을 도입해야 한다.[21]

양자물리학자 크리스토퍼 푹스는 "양자역학은 생각의 법칙이다"[22]라고 선언했는데, 이는 결코 과언이 아니다. 양자이론은 마음과 뇌가 연결되어 있다는 사실뿐 아니라 마음과 지성과 감정이 뇌를 물리적으로 변화시킨다는 사실을 말해 준다. 그러므로 양자이론은 (신경)과학과 (신경)심리학의 연계는 물론, 생각과 '완전한 나'를 강력하게 설명해 주는 방법이다.

철학자이자 신학자인 키스 워드는 양자이론을 가리켜 "가장 깊은 것을 이해할 수 있도록 도와주는, 유사 이래 개발된 모델 중 가장 정확한 모델"[23]이라고 말했다. 키스 워드가 말한 '가장 깊은 것' 중 두 가지는 우리가 언젠가 한 번은 답해야 할 두 개의 중요한 질문으로 대변되는데, 그 첫 번째 질문은 "인간으로서 우리는 어떻게 생각하는가?"이고, 두 번째 질문은 "우리는 왜 사는가?"이다.

우리에게 마음이 있는 이유는 무엇인가? '영원'이라는 시간 속에서 우리가 담당해야 할 임무, 곧 우리가 짊어져야 할 거룩한 목적은 무엇인가?(전 3:11) 양자물리학은 우리의 마음이 얼마나 강력한지를 보여 주며, 이 거룩한 목적을 과학적으로 설명한다. 양자물리학은 개인의 선택에 큰 능력이 내재함을 말하며, 이로 인해 뇌와 몸과 세상이 변화될 수 있다는 이론을 제공한다. 이처럼 양자이론은 '마음'의 중요성을 강조한다. 즉, 우리 모두가 얼마나 독특하고 경이롭고 놀랍게 창조되었는지를 말해 주고 있다.

하나님은 과학을 사용하여 인간의 생각과 자유의지가 얼마나 강력한지를 알려 주신다. 우리는 양자이론과 신경과학을 통해 생각이 실체라는 사실을 알 수 있으며, 심지어 그것을 관찰할 수 있다. 우리의 생각은 '실체'이다! 우리의 생각은 자신(영, 혼, 육)에게만 영향을 줄 뿐 아니라 주변 사람들, 심지어는 미래의 후손에게까지 물리적 영향을 미친다. 양자물리학은 우리가 직관적으로 알고 느끼는 것을 분명한 증거를 들어 증명해 준다. 양자물리학은 "우리의 의식이 우리의 행동에 영향을 미친다"고 말한다. 우리의 생각과 느낌과 선택이 물질계로 돌입하여 우리의 뇌를 구조적으로 변화시킨다. 양자물리학은 이처럼 생각이 실질적(물리적) 변화를 일으킨다는 사실을 눈으로 볼 수 있게 해준다.

불확정성과 선택

우리는 매 순간 생각하고 느끼고 선택한다. 우리는 '완전한 나'(창조 본연)를 통해 생각하고 느끼고 선택하거나 '완전한 나'와 정반대의 상태에서 생각하고 느끼고 선택한다. 우리는 이렇듯 옳지 않은 선택들을 통해 '완전한 나'를 이탈하게 된다. 이때, 우리의 생각과 느낌과 선택에는 지혜가 결여된다.

인생을 살면서 우리가 겪는 다양한 사건들의 자극은 오감을 통해 우리의 뇌에 전달된다. 이때 영적으로 독특하게 창조된 우리의 '완전한 나'가 뇌로 전달되는 정보들을 걸러낸다. 이처럼 '완전한 나'가 필터 역할을 제대로 할 때, 우리의 뇌는 올바르고 활발하게 작동한다.

당신은 결정의 주체이다. 당신이 무엇을 선택할지 아는 사람은 오직 당신뿐이다. 이를테면 당신이 선과 악 사이에서 무엇을 선택할지 나는 알 수 없다. 당신의 선택에는 무한한 가능성이 내재한다.

양자이론에서는 선택의 무한 가능성을 '어윈 슈뢰딩거'의 확률파로 설명한다. 슈뢰딩거의 공식에 의하면, 우리는 어느 정도 선택의 확률을 예측할 수 있다. 하지만 그것은 어디까지나 예측에 불과하다. 결과가 어떠할지에 대해서는 항상 '불확정성'이 존재한다.

물론 우리 삶이 어떻게 전개될지 일일이 알 수는 없다. 하나님께서 우리의 삶을 어떻게 인도하실지 세세한 내용까지 다 아는 사람은 없다. 그러나 우리가 확신하는 바, 우리를 향한 하나님의 계획은 '선'善이다. 우리는 하나님께서 우리에게 '선'을 행하시리라 확신한다. 하나님은 우리에게 미래와 소망을 주시는 분이다(렘 29:11).

이 책의 서두에서 언급했듯 우리가 '사랑의 구역' 안에 머물 것을 선택하면, 그 선택은 긍정적인 결과를 가져올 것이다. 그리고 그 결과는 하나님의 선한 계획의 일부로 자리 잡을 것이다. 반면, '두려움의 구역' 안에는 우리 삶에 해악을 끼칠 광범위한 가능성들이 존재한다. 만일 두려움 안에 머물기로 선택하면, 그 결과는 불 보듯 뻔하다.

우리는 항상 무언가를 선택한다. 선택 행위를 양자물리학의 언어로는 '확률파를 붕괴시킨다'고 한다. 그리고 신경과학의 언어로는 '우리의 선택이 유전자 발현 촉발 시그널을 만들어 낸다'고 한다. 크리스토퍼 푹스에 의하면, 그 모든 확률의 파동 함수는 이 세상을 객관적으로 설명해 내지 못한다. 오히려 그 파동 함수는 개인 및 개인의 독특한 선택을 주관적으로 설명한다. 즉, 우리 각 사람은 자신만의 고유한 파동 함수를 지니고, 자신만의 정체성과 가능성들(또는 믿음, 태도, 선택)을 지닌 존재라고 할 수 있다.[24] 하나님은 우리 각 사람의 삶을 위해 구체적인 계획을 세워 놓으셨다. 그리고 우리는 자유 선택 능력을 지닌 개개인으로서 하나님의 계획에 참여한다.

확률파동이 붕괴되기 전, 그러니까 우리가 무언가를 선택하기 전, 파동 함수는 여러 가능성들을 통합시킨다. 그런데 이 모든 가능성은 실제 파동이라기보다 '힐버트 공간'으로 불리는 개념 공간 안의 확률파동이다.[25] 힐버트 공간은 데이비드 힐버트의 이름을 딴 수학적 개념인데, 참고로 데이비드 힐버트는 19-20세기에 가장 큰 영향력을 떨쳤던 수학자 중 한 명이다. 힐버트 공간 안에서 당신은 여러 다양한 가능성들(확률)에 대해 생각하고 느끼고 선택한다. 이렇게 생각, 느낌, 선택의 과정이 진행되는 동안, 확률파동은 붕괴된다. 그리고 확률파동이 붕괴될 때, 관찰자(당신)의 지식은 진일보한다.

무언가를 생각하고 느낄 때, 당신은 '중첩 상태'에 놓인다. 중첩을 원자 차원에서 설명하자면, 두 개의 소립자가 0과 1의 자리에 동시에 존재하는 상태를 뜻하며, 이를 양자 비트라고 한다. 즉, 선택에 의해 소립자가 0이나 1로 붕괴·수렴하기 전, 양자 얽힘quantum entanglement에 의해 두 소립자가 0과 1사이에 동시에 놓이는 상태가 유지되는데, 이를 중첩이라 한다. 이 말은 우리가 선택 행위를 하는 동안, 양자 컴퓨터와 같은 뇌가 서로 다른 계산을 수행한다는 뜻이다. 중첩에 의하면, 우리의 마음은 두 개의 상반된 관점을 동시에 지닐 수 있다. 마음의 활동은 에너지의 파동으로부터 원자 차원에 이르기까지, 또 우리가 여러 가지 옵션을 버리고 단 하나의 실체를 선택하여 믿는 차원에 이르기까지, 참으로 다양한 차원의 물리적 반응을 불러일으킨다.

뇌 속 양자 차원에서 볼 때, 선택은 어떤 양상일까? 오감을 통해 뇌 안으로 들어간 정보(휴일에 가고 싶은 휴양지 선택, 의료 진단 방법 선택, 직장에서의 상황, 기회 선택, 배우자와의 논쟁 등)는 뉴런 안에서 전기화학 및 양자 반응을 일으킨다.

뉴런 속에는 미세소관이 있는데, 뉴런 한 개에 대략 천만 개의 미세소관이 들어 있다. 미세소관은 튜불린이라는 단백질로 만들어진다. 그리고 튜불린 단백질은 트립토판이라 불리는 아미노산으로 구성되어 있다. 분자 차원에서 보면 트립토판은 카본(탄소) 원자 여섯 개로 구성된 고리 모양의 물질인데, 이것을 가리켜 '방향족성 고리'aromatic ring라고 부른다. 이 고리 안에서의 양자 운동은 고리의 각 지점들 사이를 오가며 진동하는 전자 차원에서 이루어진다. 하이젠베르크의 불확정성 원리에 의하면, 이러한 전자들은 고정된 지위를 갖지 못한다. 이를 마음속의 상황으로 설명하자면, 당신은 하와이로 갈지 파리로 갈지 아직 결정을 내리지 못한 상태이다. 이에 고정 지위를 갖지 못한 전자들은 실제 파동처럼(가능성 또는 옵션·확률·경향의 파동처럼) 널리 퍼지고, 방향족성 고리들은 서로를 향해 넘나들며 전자구름을 공유하여 0과 1의 중첩 상태로 돌입한다. 다시 말해 당신은 하와이와 파리를 동시에 생각하는 것이다. 이러한 상태로 돌입하는 경로가 한 개가 아닌 여럿이므로, 이를 가리켜 위상적 양자 비트라 부른다. 이때 이러한 양자 비트 여럿이 함께 작동하므로, 이를 '결맞음'이라고 한다.

우리가 성령님과의 대화를 오랫동안 지속할수록 더 많은 결맞음을 얻고, 그분의 무한한 지혜 속으로 더 자주 들어가게 된다. 결국 성령과의 교제를 통해 우리의 결맞음은 긍정적으로 변화되고, 이로 인해 우리는 긍정적인 선택을 하게 된다.

무언가를 결정할 때, 우리는 힐버트 공간에서 하나의 가능성을 선택함으로써 확률파를 붕괴시킨다. 이 말은 그 가능성을 실체화한다는 뜻이다. 아무것도 아닌 것을 무언가로 바꾼 것이다. 양자이론에서 파동 함수의 붕괴는 '결어긋남'으로도 불린다. 이처럼 하나의 가능성을 선택하여(파동 붕괴, 결어긋남) 그 가능성을 실체화하면, 그렇게 형성된 실체는 유전자 발현을 통해 뇌에 물리(실질)적 영향을 끼친다. 이런 식으로 우리는 자신의 무의식을 업데이트할 수 있다. 올바른 선택을 하면, 우리는 무의식에 새로운 정보와 한 차원 높아진 전문성과 지혜를 주입할 수 있다. 그러나 올바르지 않은 선택을 할 경우, 우리 마음에 새로 주입되는 지식은 유해할 것이다.

이제 우리는 '결어긋남'의 한 형태인 양자 제논 효과~Quantum Zeno Effect, QZE~를 알아볼 것이다.[26] 양자 제논 효과는 우리가 언제, 어떤 방식으로 무언가에 반복하여 집중하는지, 또 어떻게 생각하고 느끼고 선택하는지 (파동 함수를 붕괴시키는지) 설명해 준다. 그리고 우리가 언제, 어떻게 장기 기억을 만들어 내는지, 그 장기 기억이 어떻게 우리의 믿음체계로 전환 되는지, 또 장기 기억이 미래의 선택에 어떤 영향을 끼치는지 설명해 준다. 간난히 말해 이것은 학습을 가능하게 하는 '반복적인 노력'이라고 할 수 있다. 앞에서 언급한 대로 "무엇을 생각하든, 가장 많이 생각하는 것이 가장 크게 자란다"는 말은 양자 제논 효과를 제대로 설명해 준다.

우리 안에 유입되는 정보는 각인된다. 그런데 만일 그 정보가 긍정적인 내용을 담고 있다면, 각인된 정보는 당신의 마음을 구해 줄 것이다(약 1:21). 그러나 '완전한 나'를 이탈한 것은 반복 학습된 기억으로 간주될 것이며(양자 제논 효과), 그러한 기억은 올바를 리 없다. 결국 그릇된 기억은 뇌 속의 보상-생각-학습 회로를 망가뜨릴 것이다.

'완전한 나'를 따라 행동하는 사람들을 가장 잘 보여 주는 예가 성경에 등장한다. 마태복음 13장의 '씨 뿌리는 비유'에 등장하는 좋은 밭이 그 예이다. '좋은 밭'으로 대표되는 사람들은 그렇게 하고 싶은 기분이 들지 않더라도 끈질기게 '완전한 나'를 유지하려 애쓴다. 정황상 평안할 수도, 행복할 수도 없어 차라리 근심하고 낙담하는 편이 나을 때에도 이들은 하나님의 말씀을 펼쳐 읽을 것이다. 은혜 충만한 부흥집회가 끝나고 다시 고통스런 일상으로 돌아가야 하더라도 이들은 말씀 읽기를 멈추지 않을 것이다.

그런데 마태복음 13장의 '씨 뿌리는 비유'에는 좋은 밭만 나오지 않는다. 이 세상에는 삶의 환멸과 염려를 끊임없이 곱씹고 되뇌는 사람들도 많다. 이들은 의식적으로 노력하고 반복하여 건강한 생각들을 쌓는 대신 부정적인 태도와 세계관으로 매일 그릇된 선택을 하는데, 이것을 '가소성 역설'이라고 부른다. 가소성 역설은 긍정적인 마음의 지시이든, 부정적인 지시이든 우리의 뇌가 그대로 따른다는 사실을 언급한다. 기억하라. 우리는 선택할 수 있다!

우리의 선택 행위에는 각 사람의 '독특함'이 스며 있다. 우리는 마음에 쌓인 것을 행동으로 표출한다. 마음에 가득한 것을 입 밖으로 내거나 행동으로 표현하는 것이다. 그러므로 내가 무엇을 선택하고 결정하느냐가 '나'를 드러내 준다고 할 수 있다. 여기에는 태도뿐 아니라 마음속 깊이 뿌리박힌 믿음체계도 반영되어 있다.

'자유의지'의 신경기질(회로판) 발견은 오랫동안 수많은 과학자들과 철학자들의 흥미를 북돋워 주었다. 그리고 최근, 존스홉킨스 대학 연구팀은 인간의 뇌에 반영된 선택의 능력과 실체(마음은 뇌라는 신경기질을 통해 작동한다)를 확인했다.[27] 이제 과학이 하나님의 말씀을 좇아가기 시작했다!

얽힘

인간의 의식과 물질세계의 '얽힌 특성'에 방점을 둔 양자역학은 쉽게 말해 '이 세상 속에서 살아가는 인간'을 다루고 있다. 양자역학은 세상만을 대상으로 삼는 것도 아니고, 인간만을 다루는 것도 아니다. '세상 속에서의 인간', 이것이 '완전한 나'의 골자이다.

'완전한 나'를 따를 때, 당신은 그 누구도 대신해 줄 수 없는, 오직 당신만이 할 수 있는 '일'이 있다는 사실을 겸손히 인정하게 된다. 이처럼 자신의 독특성을 인식할 때, 다른 사람의 삶 속에서 당신이 수행하는 임무의 중요성은 극대화된다.

이와 관련하여 재미있는 연구결과가 있다. 동일한 사고를 당한 환자들 중 치료를 받으며 남을 돕는 일을 병행했던 사람들은 단지 치료만 받았던 환자들보다 68% 정도 더 높은 치료 효과를 나타냈다.[28] 이 연구 사례를 통해, 우리는 남을 돕는 일이 유해한 스트레스를 건강한 스트레스로 바꿔 주기 때문에 치료 실패율(혹은 사망률)이 낮아진다고 생각할 수 있다. 실제로 남을 돕는 습관이 스트레스 효과를 완충시켜 정신적·신체적 건강이 증진된다는 연구결과가 많다.[29] 이를테면, 긍정적인 태도로 사랑의 손길을 펼치는 경우가 그렇다. 이와는 반대로 고립이 인간의 정신과 육체에 부정적인 영향을 끼친다는 연구결과도 많다.[30] 이처럼 우리는 서로 교류하고 도우며 살도록 지음 받았다. 심지어 당신이 어려운 일을 겪는 중이더라도, 창조 본연에 따라 남을 도와야 한다.

이러한 '얽힘'의 원칙은 '완전한 나'의 핵심이 나 자신이 아님을 보여 준다. '완전한 나'의 핵심은 '어떻게 해야 하나님을 더 잘 알 수 있는가', 또 '어떻게 해야 이웃을 더 잘 섬길 수 있는가'이다.

삶(인생)은 '얽힘'이다. 에베소서 4장 16절은 이 사실을 명확히 알려 준다. "그에게서 온 몸이 각 마디를 통하여 도움을 받음으로 연결되고 결합되어 각 지체의 분량대로 역사하여 그 몸을 자라게 하며 사랑 안에서 스스로 세우느니라." 우리에게는 서로가 필요하다. 우리가 하나님을 더 잘 알 수 있는 통로는 '그리스도인들의 교제'이다. 우리는 이 세상 만물과도 얽혀 있다. 우리는 이 세상 만물의 청지기이고, 이 세상은 우리에게서 하나님의 영광이 나타나기를 학수고대한다(롬 8:19-21). 따라서 우리는 결코 '얽힘'을 벗어날 수 없다.

'얽힘'은 양자물리학의 으뜸 법칙이다. 하나님께서는 우리가 관계를 맺고 살도록 창조하셨다. 우리는 먼저 하나님과 관계를 맺어야 하고, 또한 사람들과 관계를 맺어야 한다. 그리고 우리가 청지기로 봉사하는 이 세상과 관계를 맺어야 한다. 이처럼 하나님은 우리로 하여금 관계를 맺게 하신다.

양자물리학은 우리가 사는 이 세상이 어떻게 얽혀 있는지를 이해하도록 도와준다. 지구로부터 10억 광년 떨어진 곳에서 광자가 생겨났다고 하자. 물론 당신은 그 사실조차 모를 것이다. 하지만 그처럼 먼 곳에서 일어난 광자의 발생 사건은 당신에게 영향을 미친다.

'벨 정리'[31]로 유명한 존 벨은 이 우주의 모든 구성 요소 사이에 결코 분리할 수 없는 양자 연관성이 있음을 이야기했다. 시간과 공간상 아무리 멀리 떨어져 있는 요소들이라도 서로 관계를 맺고 있다는 것이다. 이러한 관계는 시공을 초월하여 존재한다.

'얽힘'이 우리에게 말해 주는 사실은, 우리의 생각과 감정과 선택의 결과가 우리 자신(영, 혼, 육)에게는 물론 다른 사람 및 주변 세상에도 심오한 영향을 끼친다는 것이다. 일례로 용서를 생각해 보자. 용서는 우리의 삶에 '얽힘'이 작동한다는 사실을 보여 주는 주요한 예이다. 다른 사람과 얽혀 살아가는데 남을 용서하지 않는다면, 우리가 말하고 행하는 그 모든 것이 부정적으로 작동하여 자신을 비롯하여 주변 사람들에게 상처를 안길 것이다. 그러나 남을 용서하기로 선택할 경우, 우리는 유해한 경험에 얽혀 있는 자신을 풀어낸다. 용서를 통해 우리는 자신의 영혼을 보호하고 건강한 '얽힘'을 재창조해 낸다. 건강한 '얽힘' 속에 머무는 동안, 우리는 더 이상 다른 사람의 그릇된 선택에 악영향을 받지 않는다.

모든 사람이 자유의지를 지니고 있어서 모든 일을 스스로 결정하기 때문에, 우리는 삶 속에서 일어나는 사건이나 환경(외부요인)을 통제할 수 없다. 사람들이 나에게 악영향을 미치기로 선택하더라도 그 사실을 사전에 알 수도 없고, 막을 수도 없다.

그러나 사건과 환경에 어떻게 반응할지는 통제할 수 있다. 과연 나는 어떻게 반응하는지, 그 태도와 양상을 살펴보라. 자신이 생각하고 느끼고 선택하는 방식(완전한 나)을 이해하면, 반응하는 방법을 달리할 수 있고, 그러한 반응방식이 '완전한 나'에 적합한지 그렇지 않은지 점검할 수 있다. 우리는 하나님의 형상을 지녔기에 오직 사랑에만 반응하도록 창조되었다. 따라서 우리는 자신이 속한 세상을 바꾸고, 하나님의 사랑을 증언할 수 있다. 산꼭대기에서 활활 타오르는 횃불처럼 하나님의 광대한 형상을 발산해 낼 것이다.

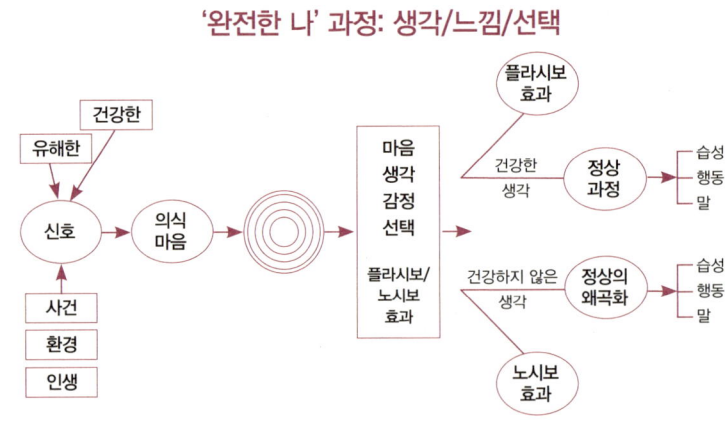

〈그림 5.2〉
'완전한 나' 과정: 생각/느낌/선택

PART III

THE PERFECT YOU

Chapter 6
'완전한 나'를 찾아가는 여정

> 나다움을 주장하라. 결코 다른 사람을 모방하지 말라.
>
> — 랄프 월도 에머슨, 수필 작가

앞에서 나는 '완전한 나'의 개념과 그것이 어떻게 작동하고, 그것을 풀어내는 것이 얼마나 중요한지에 대해 이야기하였다. 이번 장에서는 당신의 '완전한 나'를 이해하고 '나다움'을 발견하는 데 도움이 될 UQ 검사에 대해 이야기할 것이다.

소망의 메시지

무언가를 생각할 때마다 당신의 생각은 뇌와 몸을 변화시킨다. 만일 당신이 '완전한 나' 안에 머물면, 그 변화는 나아지는 쪽의 변화일 것이다. 반대로 당신이 '완전한 나'를 이탈한 상태라면, 그 변화는 나빠지는 쪽의 변화일 것이다. 당신이 나쁜 선택을 할 때마다 유해한 감정이 달라붙은 유해한 생각 덩어리들이 당신을 '완전한 나'로부터 이탈하게 할 것이다. 이 같은 이탈은 당신의 생각과 말과 행동에 영향을 미친다.

당신이 '완전한 나'를 따라 행동할 때, 하나님의 형상을 드러내어 그분의 완전한 디자인에 따라 살게 된다. 당신은 건강한 '사랑의 태도' 나무를 키워낼지, 아니면 유해하고 가시투성이인 '두려운 태도'의 나무를 키워낼지 선택할 수 있다. 사랑의 태도는 당신의 뇌에 건강과 생명을 전달하고, 두려운 태도는 사망을 전달할 것이다. 이 모든 것은 당신의 '완전한 나'와 연관되어 있다.

내가 만난 환자들 대부분은 학습 능력을 상실하여 배움에 대한 희망을 내려놓은 어린이나 십대 청소년, 그리고 평생 어떠한 것도 성취하지 못한 그야말로 모든 소망을 포기한 성인들이었다. 이러한 환자들을 대할 때마다 나는 그들의 '독특함'에 주목했다.

의사로서 내가 가장 크게 보람을 느끼는 순간은 이러한 환자들이 소망을 품고 진료실을 나설 때이다. 나는 그들에게 다음과 같이 확언한다. "과학적 사실을 말씀드리겠습니다. 당신의 마음은 참으로 놀랍고 아름다워서 발전과 개발을 거듭할 수 있습니다. 게다가 이 세상에는 그 어느 누구도 할 수 없는, 오직 당신만이 할 수 있는 일이 있습니다. 당신이 이 세상에 공헌할 일이 있습니다." 이 말을 들은 그들의 눈은 기대감으로 가득 차올랐다.

가장 즐거웠던 경험을 꼽자면, 부모의 성화에 못 이겨 어쩔 수 없이 나를 찾아온 십대 청소년들과의 만남이다. 아이들의 부모는 자녀양육에 크게 실패한 나머지, 두 손 두 발 다 든 상태였다. 물론 아이들은 나와의 만남을 못마땅하게 여겨 잔뜩 화가 난 상태였다. 하지만 그들은 나와 함께 시간을 보내며 대화한 후 몰라보게 달라졌다.

하루는 극장 앞을 지나던 중 예전에 나에게 상담을 받았던 아이 하나와 마주쳤다. 아이는 반가운 얼굴로 다가와 나를 꼭 안아 주고는 친구들에게 나를 소개해 주었다. 상영관에 들어갔을 때, 그 아이가 나에게 이런 문자 메시지를 보냈다. "리프 박사님, 박사님께서 제 삶을 변화시켜 주셨어요. 박사님 덕분에 저는 다시 소망을 품게 되었습니다."

내가 가장 좋아하는 '소망'의 일화는 남아프리카에서 경험한 일이다. 당시 나는 빈곤 지역의 학생들과 시간을 보내며, 그 아이들이 '완전한 나'를 찾도록 도와주었다.

당시 내가 세웠던 목표는 고3 학생들의 '시험 통과'였다. 돌이켜보면 그때의 경험은 기적과 같았다. 내가 가장 좋아하는 소망으로 가득한 이야기가 그곳에서 펼쳐졌다. 물론 다들 예상하다시피 환경은 더 없이 열악했다. 근사한 건물은 꿈도 못 꾸었고, 교실에 걸린 칠판은 죄다 부서져 있었다. 무엇 하나 성한 것이 없었다. 학생은 수백 명에 달하지만 교과서는 몇 권밖에 구비되지 않은, 그야말로 수업 자체가 불가능한 상황이었다. 그뿐만이 아니다. 학생들 대부분은 굶주렸고, 살면서 이런저런 상처를 많이 받은 상태였다.

그때 만났던 아이들 중에서도 한 남자아이가 특별히 기억에 남는다. 내가 그곳에서 수업을 시작할 때만 해도 그 아이의 얼굴에는 분노가 가득 서려 있었다. 극심한 가난 때문에 오랫동안 굶주려 지쳐 있었던 아이는 자신의 인생을 혐오했다. 설상가상으로 병까지 얻어서 그런지, 무척 침울해했다. 그래서였을까? 아이는 평소 위험한 행동을 일삼았고, 그곳의 학생과 교사들 모두가 이 아이에게 곱지 않은 시선을 보냈다. 아이의 삶에는 내가 알지 못하는 유해한 요소들이 참으로 많았다.

첫날 강단에 서서 수업을 시작했을 때, 그 아이가 나를 노려보았다. 지금도 그날 그 아이의 눈빛을 잊지 못한다. '저 아이는 아무 소망 없이 고통만 느끼며 살아가고 있구나!' 나는 그 자리에서 눈을 감고 하나님께 기도드렸다. "주님, 제가 저 아이의 마음을 어루만질 수 있도록 도와주세요. 제게 힘을 주세요."

여섯 시간의 강의가 끝난 후, 그 학교의 선생님들이 단상 앞으로 올라와 학생들에게 물었다. "자, 리프 박사님께 감사를 표하고 싶은 학생은 손을 들어 보세요." 그러자 나를 노려보았던 그 남자아이가 강단으로 달려왔다. 아이의 손에는 펜이 들려 있었고, 눈에는 눈물이 그렁그렁 맺혀 있었다. "리프 박사님, 감사합니다. 정말 감사합니다! 이제 저는 이 펜을 갖고 무엇을 해야 할지 알게 되었습니다."

그날 아이는 삶의 목적과 자신의 가치를, 그리고 무엇보다 하나님을 발견했다. 나는 지금도 그 아이의 변화된 얼굴을 기억하고 있다. 결론을 말하자면, 아이는 이후 자신의 삶은 물론 자신이 몸담은 지역을 변화시켰다. 그리고 자신만의 독특함으로 이 세상에 선한 영향을 미치기 시작했다.

나는 이러한 기억을 소중히 간직하고 있다. 또 그와 같은 경험이 많다는 사실에 얼마나 기쁘고 감사한지 모른다! 사람들이 보여 준 '변화'의 모습은 내게 더 큰 동기를 부여해 주었다. 이에 나는 뇌와 마음의 연관성에 대한 연구를 쉼 없이 지속할 수 있었다. 이러한 경험을 통해 하나님이 얼마나 위대하고 놀라우신 분인지 더 깊이 이해하게 되었다.

'하나님의 소망'을 사람들에게 주입하는 일은 내가 늘 마음 깊이 품어 왔던 '사명'이다. 이 사역이 사람들을 살려낸다. 성경은 이렇게 말한다.

"소망이 더디 이루어지면 그것이 마음을 상하게 하거니와 소원이 이루어지는 것은 곧 생명나무니라"(잠 13:12).

나는 당신이 '완전한 나'를 찾고, 그것을 계발하여 멋지게 사용하도록 소망을 불어넣고 싶다. 소망과 사랑으로 충만해진 당신이 그 동일한 소망을 다른 사람에게 전달하여 그들 또한 자신의 '완전한 나'를 찾게 되길 바란다. 그리고 이러한 소망의 메시지가 끊임없이 반복되기를 갈망한다.

이러한 마음으로 나는 '완전한 나'를 찾는 데 도움이 될 UQ 검사를 개발하였다. 이 검사를 통해 당신은 자신만의 '완전한 나'를 더욱 확실히 이해하게 될 것이다. 그리고 '완전한 나'의 모습대로 살기 위한 첫 발을 내딛게 될 것이다.

나만의 독특한 자질

UQ Unique Qualitative 는 개인의 '독특한 자질'을 뜻하며, UQ 검사는 개인마다 다른 독특한 자질을 알아보기 위해 만들어진 검사이다. 이번 장에서는 UQ 검사에 대한 이해를 돕기 위한 내용을 다뤘으며, 실질적인 UQ 검사는 부록에 실었다.

UQ 검사에 대해 알아보기에 앞서 반드시 짚고 넘어가야 할 것이 몇 가지 있다. UQ 검사는 IQ 테스트가 아니다. 한정된 질문에 대한 답에 근거하여 수치화된 점수가 당신의 가능성을 의미하는 것은 아니기 때문이다. 그것은 일시적인 평가일 뿐, 실제 당신은 끊임없이 변화하고 성장한다. UQ 검사는 성격 테스트가 아니다. 당신은 특정 범주에 가둘 수 있는 존재가 아니며, 거대한 기계의 부품과 같은 존재도 아니다. 당신의 존재 자체가 하나의 이름이고 대표성을 띤다.

UQ 검사는 EQ 감성지수, SQ 사회성지수를 측정하기 위한 테스트가 아니다. 감성과 사회성은 매우 복잡하고 무한하며 끊임없이 변화한다. 그것들은 매우 복잡한 전체의 일부로, 그 가치를 축소할 수 없으며 전체 안에서만 제대로 설명될 수 있다.

IQ, EQ, SQ 등과 같은 테스트들은 앞에서 언급했던 환원주의와 결정론 같은 물질주의적 관점을 기반으로 하는 고전 과학을 바탕으로 하고 있다. 이러한 접근은 인간이 지닌 자유의지와 우리가 무한하신 하나님의 형상을 따라 창조되었다는 사실을 인정하지 않는다. 이와 같은 테스트들은 현 시점에서 측정한 상태가 완벽하고 완전하며, 그것이 우리가 앞으로 어떻게 될지를 예측한다고 믿는다. 이러한 논리에 따르면, 현재의 IQ 수치는 영원히 변하지 않는다. 변화의 가능성을 인정하지 않는 이러한 사고는 우리가 진정 훌륭하고 책임감 있는 본연의 모습을 드러내지 못하도록 제한하는 꼬리표와 범주 안에 우리를 가두어 가능성을 발휘하지 못하게 한다.

UQ 검사는 IQ, EQ, SQ 및 기타 성격 진단 테스트와는 완전히 다르다. UQ 검사는 아름답고 무한한 잠재력과 특별한 성향, 예측 불가능한 가능성을 지닌 당신에게 초점을 맞춘다. 그리스 철학자 아리스토텔레스는 이것을 '포텐샤' potentia, 즉 목적지향적인 성향을 가지고 있다고 표현하였다. 양자물리학자 하이젠베르크의 설명에 의하면, 우리의 선택의 결과인 이러한 성향이 있기 때문에 우리가 자신을 표현할 수 있다.[1] 아리스토텔레스에 따르면, 당신이 무엇을 선택하고 앞으로 어떻게 될지는 아무도 모른다. 이러한 가능성은 한계가 없으며 측량할 수도 없다. 그것은 오직 당신과 하나님만이 아시다. 당신이 가능성을 현실화하기까지 그것은 당신과 당신의 세계에 영향을 끼친다. UQ 검사는 당신 안에 있는 그러한 가능성을 인정하고 존중한다.

메타인지 모듈은 우리의 사고와 무의식을 형성하는 지적 능력의 집합체이다. 지적 잠재력과 기본적인 연산능력이 결합된 모듈은 사고 과정에 영향을 미친다. 각각의 모듈은 그것의 본성에 기반을 둔 특별한 사고 유형을 만들어 낸다. 모듈은 모두 일곱 가지(내면 성찰, 대인관계, 언어, 논리 · 수학, 운동감각, 음악, 시각 · 공간)이며, UQ 검사는 일곱 가지 분야로 나뉘어져 있다. 생각하고 느끼고 선택하는 정보화 과정은 이러한 모듈이 어떻게 상호작용하고 사용되느냐에 따른 결과이다.

당신은 자신만의 특별한 사고 유형을 가지고 있다. 이것은 당신이 각 모듈을 어떻게 사용하고, 그것들이 어떻게 상호작용하느냐에 달려 있다. UQ 검사는 당신이 이러한 모듈을 어떻게 사용하는지 이해하고, 그것을 풀어내도록 돕기 위해 만들어졌다.

일곱 가지 모듈은 당신의 UQ를 완성하기 위해 필수적인 요소들이다. 따라서 한 가지에만 초점을 맞추어 자신이 시각 · 공간적 유형이라거나 논리 · 수학적 유형이라고 생각하는 실수를 범하지 말라. 이것은 IQ, EQ, SQ를 비롯하여 여러 성격유형 테스트를 행해 온 환원주의의 폐해이다. '완전한 나'는 여러 요소들이 종합적으로 반영된 것임을 기억하라. '나다움'은 한 분야가 아니라 모든 분야를 망라할 때 온전하게 드러난다.

당신은 UQ 검사를 통해 일곱 가지 메타인지 모듈을 어떻게 자신만의 방법으로 사용하는지 인식하게 될 것이다. 부록에 실린 UQ 검사는 자신을 이해하는 데 도움이 될 심도 있는 질문들로 구성되었다. 그러니 각각의 질문에 답을 하기 전에 충분히 생각하라. 진지하게 답할수록 자신을 더 정확하게 이해하게 될 것이다.

UQ 검사에는 정답이 없다. '예'와 '아니오' 중 어떻게 답을 하든, 모두가 정답이다. 단지 '예', '아니오'라고 답하는 것만으로는 부족하다. 당신은 최대한 서술형으로 충분히 답해야 한다. 각 질문에 대해 가능한 길게, 구체적으로 쓰라.

당신은 UQ 검사를 통해 자신이 얼마나 독특하고 고유한 방식으로 사고하는지 알게 될 것이다. 그래서 이것을 '나만의 독특한 자질' 검사라고 부른다. 당신은 자신의 메타인지 모듈을 형성하는 '무엇을, 어떻게, 언제, 왜'와 관련된 지식과 그것들이 어떻게 상호작용하고, 자신이 그것들을 통해 어떻게 자기규제 하는지 알게 될 것이다. 그 과정에서 필연적으로 당신의 무의식을 엿보게 될 것이다.

충분히 자신에 대해 생각하는 시간을 가져라! 그리고 최대한 구체적으로 답하라. '예'라고 답할 경우, '무엇을, 어떻게, 언제, 왜' 그런지 상세하게 쓰라. 그리고 '아니오'라고 답할 경우, '무엇을, 어떻게, 언제, 왜' 그렇지 않은지를 상세하게 쓰라. 만약 당신이 충분히 생각하지 않고 시험문제 풀듯이 답 쓰기에만 집중한다면, 자신의 '완전한 나'를 제대로 이해하거나 풀어내지 못할 것이다.

무엇보다 자기 자신에게 정직해야 한다. 당신이 원하지 않는 이상, 누구에게도 당신의 답안지를 보여 주지 않아도 되니 최대한 솔직하게 답하라.

당신의 독특함을 찾아내는 것은 당신에게 달렸다. 그것은 내가 이 책에서 강조한 것처럼 이미 정해진 것이 아니다. UQ 검사는 무언가 익숙하지만 손에 잡히지 않는 미지의 영역을 탐험하는 모험과 같다. 당신은 이미 존재하지만 인식하지 못하여 개발되지 못한, 가능성이 무한한 무언가를 풀어내게 될 것이다. 가장 중요한 것은 성령님이 당신을 모든 진리 가운데로 이끄시도록 맡기는 것이다(요 16:13).

Chapter 7

불편한 구역

만일 당신이 편안한 구역 밖으로 나가야하는 상황이라면, 자신의 의식부터 확장시켜야 할 것이다.

– 레스 브라운, 작가

물리학에서 배워야 할 중요한 교훈은 "마음의 열정은 우리의 건강에도 강력한 영향력을 미치지만, 장애에도 강력한 영향력을 미친다"는 것이다.

– 존 헤이가르스, 의사

지금까지 우리는 '완전한 나' 안에서 어떻게 생각하고, 느끼고, 선택하는지 살펴보았다. 이제 당신의 마음에는 기대와 흥분이 가득 차올랐을 것이다. 당신은 자신에 대해서는 물론, 배우자, 자녀, 친구, 이웃, 직장 상사에 대해서도 많은 것을 알게 되었을 것이다.

'나를 이해해 줄 사람이 있을까?' 혹시 이런 의문이 든다면, 성경을 펴 보라. 이 질문을 품고 과학적·철학적 사유를 해보는 것도 괜찮다.

아마 성경, 과학, 철학 모두 "하나님께서 당신을 이해하신다"고 답할 것이다. 하나님은 극도의 주의를 기울여 당신을 창조하셨다. 선하신 목적과 의도를 갖고 당신을 지으신 것이다. 하나님은 당신이 '완전한 나'가 되도록 설계해 두셨다.

이 장에서 우리는 '완전한 나'를 한 단계 더 깊이 살피며, 우리가 언제 '완전한 나'로부터 이탈하는지 알아볼 것이다. 이 책 전반에 걸쳐 당신은 영·혼·육과 뇌의 관계를 살펴보았다. 이제는 우리의 영·혼·육이 선택에 대해 어떻게 반응하는지, 특히 '불편한 구역'을 통해 반응하는 방식을 살펴보려 한다.

지금까지 배운 바에 따르면, 당신의 '완전한 나'는 당신만의 독특한 생각과 감정과 선택 방식이다. 부록의 UQ 검사는 당신의 '완전한 나', 곧 당신만의 독특한 태도 및 생각하고 느끼고 선택하는 방식을 이해하는 데 도움이 될 것이다.

당신은 하루 종일 삶 속에서 일어나는 사건들과 주변 환경에 반응한다. 그리고 그러한 반응들을 뇌로 옮겨 물리적 실체인 생각을 만들어 낸다. 당신이 생각하고 느끼고 선택하는 방식은 당신의 '완전한 나'를 개선하거나 저해한다.

UQ 검사는 세 가지 목적을 갖고 있다. UQ 검사를 통해 우리는 첫째, 생각하고 느끼고 선택하는 나만의 독특한 방식을 이해한다. 둘째, 나의 생각, 감정, 선택 행위를 의식적으로 '자기규제'하여 성령님의 뜻에 일치시킨다. 셋째, '완전한 나' 안에 거할 때, 내가 어떻게 생각하고 느끼고 선택하는지를 확인함으로써 언제 '완전한 나'를 이탈하는지 점검한다.

불편한 구역에 대해 이해하면, 이 세 가지 목적을 성취하는 일이 좀 더 수월해진다. 이제 불편한 구역에 대해 본격적으로 살펴보자.

경종을 울리는 불편한 구역

우리의 마음에 강력한 힘이 내재한다는 증거는 도처에 널려 있다. 삶 속에서 직접 체험할 수도 있고, 다른 사람이 역경을 극복한 간증을 통해 경험할 수도 있다. 사실, 모든 사람은 자신이 처한 환경과 상황을 바꾸길 원한다. 그래서 이를 위해 자신의 마음을 어떻게 바꿔야 하는지 끝없이 고민한다. 이처럼 '마음의 변화'는 매력적인 주제이다.

마음을 바꾸려면, 육신부터 이겨야 한다. 감사하게도 하나님께서는 우리가 육신의 정욕을 이기도록, 육신을 정복하도록 창조하셨다. 하지만 함정이 있다. 자연 상태에 있는 모든 사람이 자신의 육신을 이기는 것은 아니기 때문이다. 우리가 육신을 정복하는 것은 오직 그리스도 안에 머물 때뿐이다(롬 7:24-25, 8:37, 갈 2:19-21).

이 책의 서두에서 언급한 것처럼, 우리는 마음(혼)과 육체와 영으로 이루어진 존재이다. 먼저 우리의 '영'부터 살펴보자. 우리의 영은 직관, 양심, 예배의 세 부분으로 나뉜다. 성령께서는 우리의 직관을 통해 우리에게 진리를 말씀해 주시고, 또 직관을 통해 우리를 인도하신다. 직관은 '완전한 나'를 따라 생각하고 느끼고 선택하는 직감의 거처이기도 하다. 우리의 양심에는 옳고 그름에 대한 분별(인식)이 내재한다. 우리는 영의 예배를 통해 하나님의 사랑에 잠기고픈 욕구를 인식한다. 참고로 우리는 하나님의 사랑에 중독되도록 지음 받은 존재이다.

우리의 마음(혼) 또한 '지知', '정情', '의意' 세 부분으로 나뉜다. 이것을 풀어 설명한 것이 바로 '생각하고 느끼고 선택하다'이다.

마지막으로 육체는 뇌와 그 외 나머지 신체 부위로 나뉜다. 사람들은 마음과 뇌가 하나라고 생각하지만, 사실 마음과 뇌는 별개의 존재이다. 게다가 마음이 뇌에 종속된다는 일반적인 믿음과 달리, 마음에서 생각이 시작되어 뇌를 변화시킨다. 뇌가 마음에 종속되어 있는 것이다. 우리는 마음을 통해 뇌를 변화시킨다. 더 적나라하게 말하면, 우리의 뇌와 육체는 마음의 명령대로 움직인다.

만일 우리의 마음이 창조 본연의 '완전한 나'와 노선을 달리한다면, 우리는 일상의 사건들에 왜곡된 반응을 나타내 보일 것이다. 쉽게 말해, 트라우마(외상성 쇼크)에 빠지는 것이다. 이때 유전자가 손상되고 생태적인 손상도 발생하므로, 우리의 뇌와 몸에 문제가 생긴다. 다시 한 번 강조하지만, 뇌와 몸에 명령을 내리는 것은 마음이다. 그런데 우리가 '완전한 나'를 이탈할 경우, 마음의 명령은 손상된 뇌와 몸을 통해 왜곡된 반응이나 유해한 행동을 낳는다. '완전한 나'를 이탈하는 순간, 이 같은 악순환의 고리가 형성된다.

하지만 우리의 마음은 뇌보다 더 강하다. 따라서 마음을 바꾸면 된다. 뇌 구조는 마음에 따라 변하는데, 이러한 성향을 일컬어 '신경가소성'이라고 부른다. 그러므로 마음만 바꾸면, 얼마든지 악순환의 고리를 제거할 수 있다.

우리의 영과 혼과 육에는 '불편한 구역'이 존재한다. 불편한 구역은 우리가 '완전한 나'를 이탈하려 할 때 경보음을 울린다. 우리가 사랑을 떠나 두려움으로 이동하려는 순간, 불편한 구역이 우리의 의식을 흔들어 깨우는 것이다(3장 참고). 그러므로 불편한 구역의 존재는 하나님의 끝없는 사랑을 알려 주는 또 하나의 확실한 증거이다.

하나님께서 우리 안에 만들어 두신 불편한 구역 덕분에 우리는 엇나 갈 수 없다. 딴 길로 가려 하면, 우리의 내면에서 "완전한 나를 벗어나지 말라!"는 경고가 울리기 때문이다. 이처럼 불편한 구역의 존재는 우리를 향한 하나님 사랑의 방증이다!

불편한 구역을 제대로만 활용하면, 우리는 항상 '사랑의 환경'에 푹 잠길 수 있다. 사랑이 지닌 능력은 참으로 대단하다. 사랑은 우리의 뇌 속 화학물질을 바꿔 놓는다. 그뿐 아니라 우리 몸을 구성하는 75-100조 개의 세포도 변화시킨다. 이에 우리는 용기를 얻고 일상의 문제와 대면 하며, 우리의 마음을 한층 더 나은 방향으로 개선할 수 있다.

이 장에서는 여러 단계의 불편한 구역들을 간략히 살펴보고, 이를 통해 우리가 언제 '완전한 나'를 이탈하는지 확인해 볼 것이다. 우리는 불편한 구역 덕분에 경각심을 갖고 문제점들을 규제하게 된다. 그 결과 우리의 마음 안에서는 하나님의 사랑을 붙잡고픈 욕구가 점점 커진다. 그러므로 불편한 구역은 우리로 하여금 하나님의 사랑 안에 머물도록 성령께서 가하시는 경고라고 할 수 있다.

아래에 여러 가지 불편한 구역 중 네 단계만을 순서대로 소개하였으니 차례대로 살펴보기 바란다. 다시 한 번 언급하지만, 주요한 네 단계일 뿐 이것이 전부라고 생각할 필요는 없다.

1. 불편한 구역을 단순히 인식하는 단계 - 유입되는 정보에 대해 내가 어떻게 반응하는지 인식하기 시작한다.

2. **아드레날린이 많이 분비되고 심장박동이 증가하는 단계** – 스트레스 반응이 시작된다. 그 반응이 자신에게 유익을 줄 수도, 해악을 끼칠 수도 있다. 이 단계에서 스트레스에 대한 반응을 선택하면 선택에 따라 결과가 달라지는데, 앞으로 이에 대해 더 자세히 설명할 것이다.

3. **태도의 단계** – 감정이 곁들여진 실질적이고 물리적인 생각들이 생성된다(태도의 생성). 이러한 생각은 실재이고 살아 있기 때문에 아무리 감추려 해도 감춰지지 않는다. 게다가 에너지로 충만한 상태이므로 자연스레 에너지를 발산하는데, 이것이 건강한 에너지일 수도 있고 유해한 에너지일 수도 있다. 이처럼 에너지로 충만한 생각은 곧 말과 행동으로 변환된다. 결국 당신은 물론이고 당신이 사랑하는 사람들, 주변 사람들이 당신의 생각에 영향을 받게 된다.

4. **선택하는 단계** – 이 단계에서 당신은 모든 생각과 감정과 외부의 자극과 자신의 태도를 의식적으로 인식한다. 이때, 당신은 성령님과 교류하기로 선택하여 그분의 조언대로 따를 수도 있고, 그분의 도움을 거절할 수도 있다.

위에 언급한 네 단계의 불편한 구역은 우리의 영, 혼(마음), 육의 각 요소를 아우른다.

불편한 구역의 영적 요소

불편한 구역의 영적 요소들은 성령의 열매(갈 5:22-23)와 정반대의 열매들이 맺힐 때 작동한다. 즉 성령의 열매는 우리의 영을 향해 소리치는 경고음과 같다. 마음속에서 부정적인 요소들이 활성화될 경우, 우리는 성령의 열매와 비교함으로 자신이 불편한 구역 안에 있음을 확인할 수 있다.

우리 안에 성령의 열매와 대척점에 있는 것들이 열매로 맺히는 순간, 우리의 마음은 영적 경종을 울린다. 여기서 영적 경종이 울린다는 것은 우리가 불편한 구역 안으로 들어갔다는 증거이다. 이러한 경고음 덕에 우리는 영적 경각심을 갖고 주의를 환기시킨다. 그러므로 성령의 열매를 아는 것이 중요하다. 아래에 설명한 성령의 열매를 살펴보고, 할 수만 있다면 외우기 바란다.

1. 사랑

모든 것을 이기고 두려움을 내쫓는 사랑(요일 4:18)은 성령의 첫 번째 열매이다. 사랑의 대척점에 있는 열매가 맺힐 경우, 우리는 극도로 주의해야 한다. '두려움의 구역'으로 들어가 무력감을 느끼고, 두려움에 정복당하며, 소망이 끊어지고, 인생의 고통에 억눌릴 때, "과연 나는 사랑 안에서 행하고 있는가?" 자문해야 한다.

2. 희락

희락, 곧 여호와를 기뻐하는 것은 우리의 힘이다(느 8:10). 그러나 희락의 대척점에 있는 열매가 맺힐 때, 당신은 정신적으로나 육체적으로 연약해짐을 느낀다.

3. 화평

화평은 그리스도 예수 안에서 우리가 느끼는 '안전함'이다. 화평은 우리의 마음을 지켜 준다(빌 4:8). 그러나 화평과 정반대의 열매가 맺히면, 우리는 평안을 느끼지 못하고 두려움에 휩싸여 연약해진다.

4. 오래 참음

오래 참음(인내)은 온전함을 이룬다(약 1:4-8). 그러나 나 자신 또는 다른 사람을 인내하지 못할 때, 우리의 행동에 초조함이 스며든다. 초조함은 우리가 올바르게 행동하지 못하도록 방해한다.

6. 자비

자비(친절)는 예수님의 핵심적인 성품이다(엡 4:32). 우리는 배우자, 가족, 직장 동료, 친구에게는 물론 옆 차선의 운전자, 계산하기 위해 내 앞에 서 있는 사람에게도 참된 자비를 베풀어야 한다. 그렇지 않다면, 우리는 주님의 본을 따르는 제자일 수 없다.

5. 양선

우리가 하나님의 형상대로 지음 받았기 때문에 우리의 삶은 '선'을 반영하게 되어 있다(시 136:1). 그러나 남을 헐뜯고, 다른 사람들을 판단하며, 그들에게 상처를 주고, 서로 시기하며 질투할 때, 우리는 하나님의 '선'을 반영할 수 없다.

7. 충성

충성(신실함)은 성경 전반에 나타난 하나님의 성품이다(신 7:9, 요 3:16). 당신은 신뢰할만한 사람인가? 어려움이 닥칠 때, 당신은 도망치는가? 문제가 생길 때마다 두려움에 떨며 숨는다면, 당신은 행복할 수도, 평안할 수도 없다.

8. 온유

온유는 악한 말을 하지 않고, 어느 누구에 대해서도 험담하지 않는 태도이다(딛 3:2). 오늘 당신은 온유한 태도로 주변 사람들을 대하였는가? 온유한 태도는 내가 속한 그룹의 분위기를 밝게 만들어 준다. 그러나 온유함이 부족한 곳에는 상처가 많다. 그곳에는 상처로 인한 수치심이 불꽃 튀듯 일어난다.

9. 절제

지혜로운 사람은 절제한다. 왜냐하면 절제는 내면의 지혜가 겉으로 드러난 결과이기 때문이다(잠 29:11). 절제의 부족은 인내를 방해한다(벧후 1:5-9). 절제하지 못할 경우, 우리는 짜증 섞인 태도로 일관하다가 결국 패배감을 떠안고 만다. 짜증을 내면 속이 시원할 것 같지만, 이후 찾아오는 감정은 속 시원함이 아닌 좌절감이다.

불편한 구역의 혼적 요소

혼의 불편한 구역은 단순히 인식하는 1단계부터 선택하는 4단계까지 중첩 상태에서 일어난다. 이러한 중첩은 유입되는 정보(오감을 통해 전달되는 삶 속의 사건들과 환경의 자극)와 마음에서 일어나는 정보(기존의 기억이나 생각)를 인식할 때부터 시작하여 생각과 느낌과 선택을 의도적·능동적·역동적으로 자기규제하여 물리적인 기억을 쌓아올릴 때까지 지속된다(8장의 요약 차트를 확인하라).

중첩 상태에 돌입하면, 당신은 영적 요소들을 더 깊이 통찰하게 된다. 자세히 말하자면, 마음(혼)을 활용하여 자신의 영이 1~4단계의 불편한 구역 중 어디에 위치해 있는지를 확인하는 것이다.

예를 들어, 중첩 상태에서 당신은 자신의 생활을 반추하며 "지금 나는 성령의 열매를 추구하지 않는다"고 결론 내릴 수 있다. 그렇다면 당신은 혼을 활용하여 영의 상태를 살핀 결과, 단순히 인식하는 불편한 구역 1단계임을 확인한 것이다(1단계, 인식). 어쩌면 당신은 성령의 열매를 맺지 못하여 심한 스트레스 반응을 보일 수도 있다. 이 사실을 인식했다면, 당신은 혼을 활용하여 영을 살핀 결과, 자신의 상태가 불편한 구역 2단계임을 확인한 것이다(2단계, 반응). 또는 성령의 열매와 일치되지 않는 태도가 당신의 말과 행동에 스며 있을 수 있다. 그렇다면 당신의 상태는 불편한 구역 3단계일 것이다(3단계, 태도). 혹은 성령께서 인도하시는 대로 선택하지 못하는 상태일 수도 있는데, 그렇다면 당신의 상태는 불편한 구역 4단계일 것이다(4단계, 선택).

만일 당신이 성령의 열매를 추구하고, 선한 태도를 나타내며, 성령의 인도하심을 따르기로 선택한다면, 이는 중첩 상태에서 자기규제가 성공적으로 이뤄졌음을 보여 주는 것이다. 바꿔 말하면, 당신은 자신의 생각들을 사로잡아 예수 그리스도께 복종시킨 것이다.

불편한 구역의 육적 요소

불편한 구역의 육적 요소는 영과 혼(마음)의 상태를 고스란히 반영한다. 육신의 불편한 구역은 영과 마음의 활동(상태)에 대한 물리적 반응이기 때문이다. 일례로 영과 혼의 문제 때문에 몸이 아프거나(위장이 아프거나) 질병이 심해지는 경우가 그렇다. 이는 우리의 영적·혼적 생활 패턴이 어떠한지를 고스란히 보여 주는 증거이다.

우리의 영과 마음의 상태는 몸을 통해 드러난다. 따라서 육체적 불편한 구역은 비교적 쉽게 감지된다. 언제든 우리의 몸속에 복잡한 전기·화학·양자적 불균형 반응과 왜곡 현상이 일어날 때, 평범하고 일관되며 평안했던 몸은 불편함을 느낀다.

〈불편한 구역에 대한 조언〉

1. 중첩 상태로 들어가 자신의 상태를 객관적으로 살피는 '다중관점의 유익' MPA 을 활용하라.

2. 성령의 열매는 어떻게 작동하는가?
 – 불편한 구역을 단순히 인식하는 단계에서 성령의 열매가 작동하는가?(인식)
 – 아드레날린이 분비되는 단계에서 성령의 열매가 작동하는가?(반응)
 – 태도의 단계에서 성령의 열매가 작동하는가?(태도)
 – 선택 단계에서 성령의 열매가 작동하는가?(선택)

3. 자신의 몸 상태가 어떤지 살피라. 몸의 컨디션이 평상시와 다른 느낌인가?

불편한 구역의 네 단계

앞에서 언급한 영, 혼(마음), 육의 불편한 요소들은 네 단계의 불편한 구역(인식, 반응, 태도, 선택) 안에 포함된다. 만일 우리가 네 단계의 불편한 구역을 알고 활용할 수만 있다면, 우리는 유해함의 사슬에서 풀려나 악순환의 사슬이 조장한 두려움을 제거해 낼 수 있다. 그러나 '완전한 나'를 이탈할 경우, 당신은 자신을 두려움의 사슬로 얽어매고 어둠 안에 가두게 된다. 하지만 여전히 소망은 있다. '완전한 나'의 상태로 되돌아오면, 참된 자아가 다시 풀려날 것이기 때문이다. 관건은 '완전한 나'이다.

'완전한 나' 안에 머물기 위해 스스로를 훈련하는 가장 간단한 방법은 앞에서 언급한 네 단계의 '불편한 구역'을 파악하고, 각각의 개념을 익히는 것이다. 우리의 생각과 감정과 선택을 통해 우리 안에 물리적인 생각이 생성되는데, 생각이 생성되는 동안 과연 언제, 어떻게 불편한 구역들이 모습을 드러내는지 확인하는 것이 중요하다. 왜냐하면 사고, 감정, 선택을 통해 생성된 생각들은 결국 말과 행동으로 이어지기 때문이다.

그 경로를 시각화하여 이해하기 위해 '뇌 구조 다이어그램'을 참고하는 것이 좋다. 아래의 다이어그램을 참고하여 설명을 듣기 바란다.

살면서 다양한 사건을 겪거나 내부·외부 환경을 통해 정보가 유입될 때, 불편한 구역이 작동하기 시작한다. 정보는 감각기관과 몸 그리고 생각을 통해 유입된다.

뇌로 들어간 정보는 내후각 피질을 통과하여 시상이라는 구조물에 전달된 후, 기억이 저장되는 뇌 외피로 이동한다. 이것은 문자 그대로, 뇌 전역에 양자 구름이 퍼지는 현상이라고 할 수 있다. 양자물리학에서는

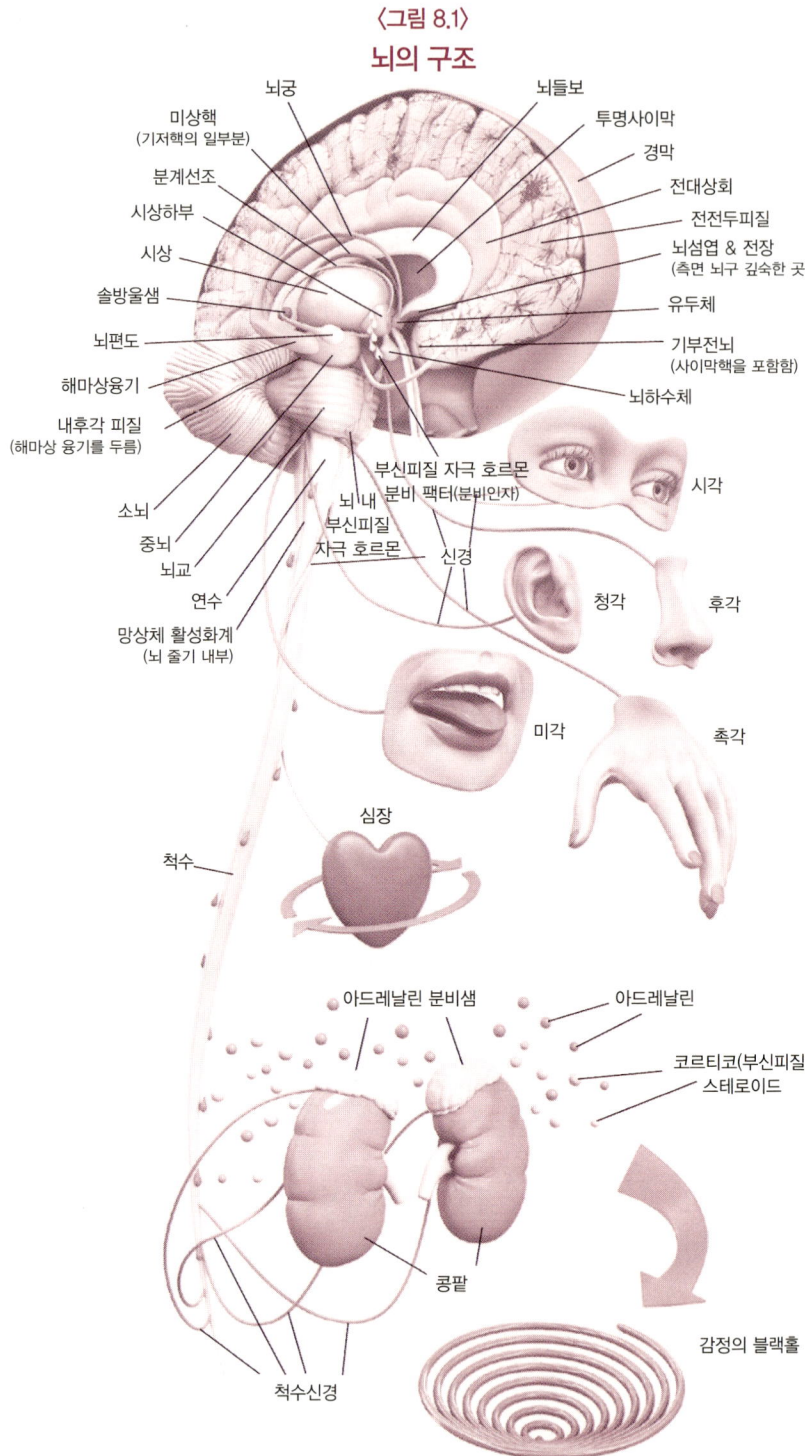

〈그림 8.1〉
뇌의 구조

이 같은 현상을 가리켜 '확률파가 물결처럼 번진다'고 말한다.[1]

뇌 속의 뉴런과 수지상돌기는 구조상 나무 모양을 하고 있는데, 마치 수많은 나무가 한데 얽혀 있는 거대한 숲처럼 보인다. 이처럼 생각은 나무 모양을 하고 있다. 실제로 과학자들은 생각을 일컬어 '마음의 마술 나무'라고 한다. 나무가 자라는 것처럼 생각도 변화하고 성장하기 때문이다. 우리는 살면서 순간순간의 경험에 반응하는데, 이러한 반응으로 인해 우리의 생각은 끊임없이 변화하고 성장한다.

내·외부에서 유입되는 정보는 매우 빠른 속도로 나무숲을 통과한다. 그래서 정보는 본질상 양자의 성격을 띤다고 할 수 있다. 이때 정보의 이동 속도는 10^{27} 정도로 추산되는데, 이렇게 정보가 이동하는 중 처음으로 태도(정보와 감정이 연결된 생각 덩어리)가 꿈틀대기 시작한다. 산들바람이 나무 사이를 지나며 잎사귀를 흔드는 것처럼 여러 정보들이 기억의 저장소를 지날 때, 태도가 꿈틀대는 것이다.

이제 당신의 뇌는 새로운 정보를 수용하고 이해할 준비가 되었다. 당신의 사고와 감정에 자극을 받은 뇌는 기존의 경험과 기억을 참조하여 새로 유입된 정보와의 연계성을 찾기 시작한다. 이때 기존의 기억은 새로 유입된 정보를 처리하는 지침으로 자리매김한다. 이를테면 새로 유입되는 정보가 '좋은 느낌'으로 저장된 과거의 기억과 닮아 있을 경우, 해당 정보는 따뜻하고 행복한 느낌으로 처리된다. 반면 기존의 기억이 '나쁜 느낌'으로 저장되어 있을 경우, 이와 비슷한 새로운 정보는 '경고' 또는 '불편함'으로 처리된다. 이러한 메타인지 활동은 역동적·능동적 자기규제에 의해 통제된다(5장 참조).

불편한 구역 1단계) 단순히 인식하는 단계

만일 기존의 기억이 부정적일 경우, 당신은 그와 유사한 새로운 정보의 유입에 불안함을 느낄 것이다. 불편한 구역의 영적 요소들이 지녔던 화평은 교란된다. 이때 스스로 규제하는 영적 차원의 불편한 구역이 무의식 차원에서 처음으로 경고를 받는다. 다시 한 번 강조하지만, 무의식의 차원에서 이뤄지는 경고이다.

그 결과 불편한 느낌이 증가하고, 이에 따른 부정적 에너지도 증가한다. 부정적 에너지는 당신의 의식과 부대낄 만큼 충분히 증가한다. 물론, 아직은 그 느낌을 확신할 정도는 아니다. 하지만, 당신의 뇌 속에서는 무언가가 시작되었고(무의식의 차원), 그 무언가는 곧 의식의 영역으로 이동할 것이다. 그렇게 당신은 그 느낌을 인식하게 된다. 이러한 순서로 첫 번째 불편한 구역, 단순히 인식하는 단계가 가동된다.

우리는 단순히 인식하는 첫 번째 단계에 집중하여 올바르게 반응해야 한다. 이것은 마치 누군가가 우리의 어깨를 툭툭 치며 "이봐, 정신 차려. 지금은 스스로 규제할 때야"라고 말해 주는 것과 같다. 바꿔 말하면, 첫 번째 단계의 불편한 구역은 우리를 향해 경고음을 발하는 영적 자극인 셈이다. 이때 우리는 이렇게 자문해야 한다. "지금 나는 사랑, 희락, 화평, 오래 참음, 자비, 양선, 충성, 온유, 절제를 따라 행동하고 있는가?"

당신의 어깨를 툭툭 치며 "스스로 규제하라"고 권면하는 영적 자극을 외면하지 말라. 당신의 생각은 살아 있고 실재하며 역동적이어서 건강한 열매도 맺고, 유해한 열매도 맺는다. 만약 당신이 스스로 규제하지 않으면, 당신의 생각은 유해한 열매를 맺을 것이다.

이처럼 당신의 생각은 강력하다. 생각을 사로잡아 그리스도께 복종시키라. 가능한 서둘러야 한다. 적기를 놓치면, 당신은 생각의 늪을 벗어나지 못해 고생할지도 모른다. 물론 거기서 벗어나는 일이 불가능하지는 않다. 그러나 너무 늦으면 필요 이상의 수고를 해야 겨우 빠져나올 수 있다.

불편한 구역 초기에 자신의 생각을 규제하는 것은 매우 중요하다. 왜냐하면 이것이 후성유전법칙을 따르기 때문이다. 생각이 행사하는 영향력은 일반 유전자 발현의 영향력보다 훨씬 더 세다.

새로운 정보가 유입되어 기억으로 변환될 때, 그 기억을 둘러싼 뇌 속 주변 환경(뇌 구조물)이 생성될 기억에 영향을 미친다. 바꿔 말하면, 뇌 속 주변 환경(뇌 구조물)의 지시대로 새 기억이 형성되는 것이다. 이때 굳이 유해한 기억으로 변환되지 않아도 될 정보들이 주변 환경의 영향을 받아 유해한 기억으로 굳어져 버리는 경우가 많다. 따라서 뇌 구조물을 건강하게 만드는 일이 중요하다. 당신의 생각이 중요한 것이다.

당신은 이 과정을 통제할 수 있다. 당신의 뇌는 당신의 결정에 따라 사랑을 기반으로 하는 건강한 기억을 만들 수도 있고, 두려움을 기반으로 하는 유해한 기억을 만들 수도 있다. 또 뉴런 속의 어떤 유전자를 발현시킬지를 결정할 수 있고, 그것을 언제, 어떤 과정으로 발현시킬지를 통제할 수 있다. 이 모든 것은 당신의 마음에 달렸다.

유전자 발현이 일어날 때, 기억이 생성된다. 그리고 유전자 발현은 우리가 선택할 때 일어난다. 즉, 선택은 유전자 발현 과정을 활성화하여 물리적인 생각을 만든다.

하나님의 설계에 따라 당신의 뇌는 정보(지식)에 반응한다. 그러므로 정보(지식)가 유입될 때, 당신은 그것이 당신에게 이로운지 해로운지 판단하고 선별하여 수용해야 한다. 이러한 판단 없이 무차별적으로 수용하면, 당신은 유해한 지식을 뇌 안에 쌓아 올리게 될 것이다. 그 결과 당신의 뇌는 유해한 지식에 반응할 것이다.

단순히 인식하는 불편한 구역 1단계는 유입된 정보에 대한 감정의 반응을 보여 준다. 하지만 정보에 대한 감정 반응은 매우 미묘하여 포착하기가 어렵나. 아직은 의식 차원의 생각으로 변환되지 않았기 때문이다.

그럼에도 첫 번째 단계가 중요한 까닭은 여기서부터 마음을 지키고 보호하는 절차가 시작되기 때문이다. 보호 절차의 시작, 이것이 불편한 구역 1단계가 지닌 중요성이다. 이 단계의 영적 요소들은 우리가 사랑을 따르는지, 두려움을 따르는지 알려 준다. 이 단계의 혼적 요소들은 외부에서 유입되고, 마음에서 올라오는 정보들을 분별한다. 그리고 이 단계의 육적 요소들은 영적 요소들과 혼적 요소들을 따른다.

이제 '유해한 것이 들어오면, 유해한 것이 나온다'는 것을 확실히 깨달았을 것이다. 당신이 유해한 태도를 품었다면, '완전한 나'를 이탈하게 될 것이다. 유해한 마음은 생각을 규제하지 않은 결과이다. 만일 유입되는 정보가 건강하고 마음속의 생각도 사랑에 기반을 둔 것이라면, 당신의 재능과 지혜는 더욱 성장할 것이다. 그러나 만일 당신이 수용한 정보가 부정적이고 두려움에 기반을 둔 것이라면, 신경물리학적 손상이 발생하고 이로 인해 유해한 스트레스가 유발될 것이다. 그 결과 신체적·정신적으로 문제가 생길 것이다.

모든 생각에는 감정이 달라붙어 있다. 그리고 감정에는 고유한 화학물질이 내재하여 각각의 감정은 저마다 독특한 화학물질로 구성되어 있다. 우리 뇌의 중앙 깊은 곳에 위치한 시상하부에서는 화학물질의 전달자로 불리는 '펩티드'(소형 단백질)가 생성되는데, 이러한 이유로 나는 뇌를 '화학물질 공장'이라고 부른다. 그리고 뇌 시상하부는 태도의 화학 구성요소들을 배합해 놓은 다양한 '태도 레시피'~recipe~를 보유하고 있다. 각각의 태도는 다양한 생각과 거기에 달라붙은 감정으로 구성되기 때문에, 태도마다 고유한 화학적 특징이 내재하게 된다. 우리의 뇌는 각 태도에 매칭되는 화학물질을 만들기 위해 펩티드 단백질을 사용한다. 결국, 펩티드 단백질을 생성하는 뇌(시상하부)가 태도를 만들어 낸다고 할 수 있다.

이처럼 뇌는 우리의 몸속에 태도라는 물리적 실체(배합된 화학물질)를 만들어 낸다. 만일 사랑에 기반을 둔 태도가 우리 몸속에서 물리적 실체(화학물질)로 변환된다면, 우리 몸은 건강해질 것이다. 그러나 유해한 태도가 물리적 실체로 변환되어 몸 안에 쌓인다면, 우리 몸은 화학물질들의 '카오스'로 전락해 버릴 것이다.

사실 우리는 사랑에만 반응하도록 지음 받은 존재이다. 그러므로 원래 우리 몸(뇌의 시상하부) 안에는 유해함의 '레시피'가 존재하지 않는다. 유해한 생각이 성장하여 태도로 자리 잡기 전에 그것을 인식하여 성장 가능성을 미연에 방지한다면, 이는 분명 '완전한 나'를 보호하는 최상의 방법일 것이다.

그러나 단순히 인식하는 1단계에서 유해한 생각이 뿌리를 내리고 성장한다면, 어떻게 되겠는가? 게다가 그 사실조차 눈치채지 못하면, 과연 어떤 일이 일어나겠는가? 불편한 구역 1단계를 지나는 순간, 유해한 화학물질들은 흘러 퍼지기 시작한다. 그리고 전자·양자 차원에서 에너지가 증가하고, 아드레날린이 분출되며, 심장박동이 빨라진다. 그렇게 당신은 불편한 구역 2단계로 돌입한다.

> **〈1단계를 위한 Tip〉**
>
> 지금 막 인식하기 시작한 사랑 또는 두려움의 초기 태동 감각을 분석하라. '완전한 나' 안에서 당신이 감각한 것들을 분석하라. 그리고 당신이 분석한 것들을 의식 차원으로 가져가라. 다시 말해 깊은 생각을 통해 의식적으로 인식하라. 이것은 당신의 '완전한 나'(규제하는 주체) 안에 내장된 기능이다. 당신의 '완전한 나'는 유입되는 정보(새로운 지식)와 기억(기존의 지식)에 반응한다. 그래서 새로운 정보가 유입될 때마다 당신 안에는 두려움 혹은 사랑의 기대감이 생성된다.
>
> 1단계의 영적인 불편한 구역에서, 과연 성령의 열매 중 어떤 것이 일그러질 것인가? 당신은 적잖이 불편함을 느낄 것인가? 희락이 빛을 바랠 것인가? 무엇이 당신의 마음을 불편하게 만드는지, 불편한 구역의 구성요소들을 살피며 점검해 보라.
>
> 혼적인 불편한 구역을 점검해 보라. 지금 당신이 인식하고 있는 유해한 생각은 무엇인가? 그 생각들은 어떤 감정을 불러일으키는가?
>
> 이제 육적인 불편한 구역을 점검하라. 당신의 몸에 집중해 보라. 당신의 심장박동은 빨라지고 있는가? 당신의 몸이 긴장하는 것은 아닌가?
>
> 이처럼 의도적으로 당신의 영과 혼(마음)과 육체에 집중하여 각각이 전하는 음성을 들어 보기 바란다.

불편한 구역 2단계) 아드레날린 분비, 심장박동 증가

아드레날린과 같은 화학물질은 '감정과 정보의 미분자(아주 미세한 분자)'²⁾로 불린다. 이들 화학물질은 당신이 느끼는 감정을 뇌의 화학공장 가까이에 있는 뇌 편도로 전달한다.

여기서 또 다시 우리는 마음의 활동에 의한 신체(물리적) 반응을 확인하게 된다. 뇌 편도는 화학물질의 신호에 의해 활성화된다. 참고로 뇌 편도는 감정 지각을 보유하고 있어서, 마치 뇌 속의 도서관과 같다. 아몬드 크기의 뇌 편도는 마음에 반응하는 시상하부 근처에 위치하여 화학물질의 흐름을 감시한다.

각 사람은 저마다의 화학적 균형점 및 독특한 화학적 설계를 지니고 있는데, 여기서 또 다시 각 사람의 독특성이 두드러진다. 화학적 균형 및 화학물질의 설계는 각 사람의 본성과 영양 상태, 그리고 무엇보다 각자의 독특한 사고방식(완전한 나)에 영향을 받는다. 당신은 생각만으로도 화학물질의 조화를 꾀할 수도 있고, 무너뜨릴 수도 있다. 참으로 놀랍지 않은가?

생각에 의해 활성화된 전기화학적·양자적 신호가 뇌의 외부에서 출발하여 감정 지각의 도서관으로 불리는 뇌 편도에 도달할 때, 당신은 매우 강력한 물리적 반응을 느끼게 된다. 왜냐하면, 그 순간 스트레스 반응이 시작되기 때문이다. 스트레스를 유발하는 화학물질들이 불편한 구역 안으로 흘러들어오기 시작한 것이다.

이때 심장박동은 빨라지고, 아드레날린이 몸 전체로 퍼져나간다. 흥분감, 경각심, 긴장감이 높아지고, 이로 인해 지각 능력과 집중력이 상승한다. 동시에 의식을 날카롭게 해주는 코르티솔 부신피질에서 생성되는 스테로이드 호르몬 - 역자 주 이 분비되기 때문에 몸의 근육은 경직되고 호흡은 가빠지며, 가빠진 호흡이 당신의 뇌에 과도한 산소를 주입한다. 그래서 순간적으로 사고 능력과 기억 능력(기억 회복력)이 향상된다. 이제 당신은 명확하게 생각하고 '좋은' 선택을 할 준비가 되었다. 하지만 항상 이러한 유익을 얻는 것은 아니다.

우리는 스트레스를 '좋은 것'으로 인식할 때에만, 스트레스를 통해 유익을 얻을 수 있다. 그렇다. 스트레스는 우리에게 좋은 영향을 줄 수 있다. 이처럼 스트레스를 긍정적으로 인식하면 유익을 얻는다. 그러나 스트레스를 부정적으로 인식하면, 그것은 우리에게 해악을 끼칠 것이다.[3]

지금 내가 한 말을 이해하는가? 그동안 몸과 마음, 육체와 감정의 연관성에 대한 연구가 많이 이루어졌다. 그리고 연구 결과, 정신적·심리적 외상이 유전자 활동에 영향을 미친다는 사실이 밝혀졌다. 일례로, 조절 역할을 담당하는 마이크로 RNA와 스트레스 사이의 연계성을 꼽을 수 있다. 스트레스와 염려는 염증 반응을 일으키는데, 이는 스트레스가 뇌와 내장 기관의 마이크로 RNA 염증 조정자에 영향을 미치기 때문이다. 스트레스로 인해 염증 발현 수준은 극적으로 상승하고, 체내 염증 수치는 높아진다.[4]

스트레스 반응이나 스트레스 자체는 나쁜 것이 아니다. 다만 스트레스에 대한 당신의 인식에 따라 그것이 당신에게 유익을 줄 수도 있고, 해악을 끼칠 수도 있다. 즉 당신의 마음이 스트레스에 대한 몸의 반응 양상을 바꿀 수 있는 것이다. 심지어 스트레스에 대한 감정적 반응까지도 바꿀 수 있다. 바로 이 지점에서 불편한 구역 2단계의 영적 요소(성령의 열매), 혼적 요소(마음, 중첩), 육적 요소(신체 반응)가 작동한다. 이 요소들을 활용하여 스트레스를 올바르게 인식하는 능력을 키워라. 이렇게 하는 것이 왜 중요한지 알기 위해 책을 계속 읽어 나가라.

연구에 의하면, 스트레스에 대한 인식을 바꿀 때, 스트레스에 대한 몸의 반응도 바뀐다. 스트레스를 건강의 위해 요소로 인식할 경우, 이로 인한 두려움이 증가하여 다양한 질병의 발병률과 사망 가능성이 43%나 높아진다는 연구결과도 있다.5) 스트레스를 유해한 요인으로 믿고 두려워하다가 사망한 사람들의 수는 매년 2만 명 정도로 추산된다. 하지만 좋은 소식도 있다. 스트레스가 나쁘지 않다고 생각하는 사람들에게서는 사망 가능성이 줄었다. 스트레스를 긍정적으로 바라볼 경우, 스트레스에 대한 몸의 반응도 긍정적으로 변한 것이다.6)

예를 들어, 스트레스를 받는 상황에서는 보통 심장 주변의 혈관이 축소된다. 그러나 스트레스를 유익한 것으로 인식할 경우, 심장 주변 혈관은 확장된다. 그 결과 혈류량이 많아져 뇌로 유입되는 산소량이 많아지는데, 뇌의 산소량 증가로 인해 의식이 분명해지고 인식능력도 높아지며 자신감과 지적 능력도 커진다. 이와 더불어 성령의 열매를 맺는 일도 수월해진다. 그러나 스트레스를 부정적으로 인식하면 혈관은 수축되고, 이로 인한 혈류량 감소는 다양한 심혈관계 질환을 일으킬 것이다. 심지어 심근경색이나 뇌졸중을 유발할 수도 있다. 그나마 운이 좋으면, 인식능력 감퇴 정도로 끝날 수도 있다.

재정적으로 부족하다고 느끼든, 심리적 안정감이 부족하다고 느끼든, 당신이 부족하다고 느끼는 것에 대해 스트레스를 받는다면 생각을 전환해 보라. 스트레스를 받기로 선택하는 대신, 다른 사람에게도 그러한 것들이 부족하다고 생각하고 그들을 도와주라. 그러면 당신의 건강 회복력은 증진되고, 사망 위험률은 낮아질 것이다. 이것은 수많은 연구 결과 밝혀진 사실이다. 재정적 궁핍이나 극적인 가정사 등 큼직한 스트레스를 경험할 때, 사망 위험률은 30% 정도 높아진다. 그러나 이 같은 스트레스 상황에서 자신의 문제에 집중하지 않고 다른 사람들의 문제를 돌볼 경우, 그 위험은 크게 줄어든다.[7] 스트레스를 어떻게 바라보느냐에 따라 인간의 수명이 달라질 수 있는 것이다.[8]

이 모든 연구결과를 통해 우리는 "얼마나 자주 스트레스를 받는가보다 스트레스를 어떻게 인식하고, 이에 대해 어떻게 반응하느냐가 정신건강, 신체건강에 훨씬 더 큰 영향을 미친다"[9]는 사실을 확인하였다. 유해한 스트레스 상태에 장기간 머물 경우, 말다툼과 같은 소소한 문제들도 당신의 건강을 치명적으로 해할 수 있다. 심지어 신경세포가 붕괴되어 중요한 기억들이 왜곡되거나 유실될 수도 있다. 이처럼 스트레스를 부정적으로 인식할 경우, 신경세포 안에서 파괴적인 반응들을 폭포수처럼 쏟아낸다. 유해한 스트레스는 때때로 '세포의 자살'을 유도하기도 한다. 이러한 반응은 염려, 근심, 우울 등의 증후 및 다양한 질병으로 이어질 수 있다(79쪽의 '두려움 나무' 그림을 살펴보라). 무엇보다 안타까운 사실은 이와 같은 증후들이 '완전한 나'를 가둔다는 것이다.

우리가 스트레스 상태에 돌입할 때, 단기 기억을 장기 기억으로 전환하는 뇌 속의 해마상 융기의 유전자들이 활성화되어 스트레스를 다루도록 도와준다. 그러나 당신이 스트레스를 부정적으로 인식할 경우, 해마상 융기의 유전자들은 활성화되지 않는다.[10]

연구 결과 밝혀진 사실에 의하면, 스트레스에 대한 최고의 해결책은 예수님처럼 남을 돕는 것이다.[11] 우리의 마음은 사랑에만 반응하도록 디자인되어 있는데, 사랑의 핵심이 긍휼이기 때문에 남을 돕는 일이 최상의 스트레스 대처법인 것이다. 알고 보면 결코 놀랍지 않은 사실이다.

'사랑에만 반응하는 마음'과 두려움을 기반으로 한 '자아중심적인 마음'은 공존할 수 없다. "사랑 안에 두려움이 없고 온전한 사랑이 두려움을 내쫓나니"(요일 4:18). 결국, 창조 본연의 목적대로 살아가는 것이 핵심이다. 우리는 무엇을 위해, 어떻게 살아가도록 창조되었는가? 우리는 다른 사람들의 삶과 얽힌 채, 공동체 안에서 살아가도록 창조되었다(막 9:35, 행 20:35, 빌 2:1-11, 벧전 4:10). 바울은 이렇게 말했다. "온 율법은 네 이웃 사랑하기를 네 자신 같이 하라 하신 한 말씀에서 이루어졌나니"(갈 5:14).

고립된 상태에서 우리의 '완전한 나'는 옴짝달싹 못한다. 그러나 그리스도의 몸 된 공동체 안에 머물 경우, 우리의 '완전한 나'는 점점 크게 성장한다(고전 12:12, 롬 12:4, 엡 4:16). 당신은 선한 삶을 살기 원하는가? 그렇다면 그리스도의 '섬김의 리더십'을 따르라(마 20:28). 만일 당신이 홀로 살아가기 원한다면, 은사도 소용없고 독특함(완전한 나)도 아무 의미가 없다.

〈2단계를 위한 Tip〉

스트레스를 받으면 심박이 빨라지는데, 너무 걱정하지 말고 이를 뇌 혈류량의 증가, 뇌의 산소공급 증가, 뇌의 영양분 증가 등의 긍정적인 사인으로 여기라. 빨라진 심박 덕분에 당신의 생각이 더욱 명쾌해질 것을 기대하라. 쿵쾅거리는 심장박동 덕에 뇌에 더 많은 산소와 양분이 공급되어 당신의 생각이 깊어지고, 그 결과 지혜도 풍성해질 것이다.

근육이 경직되거든, 이를 행동의 준비 과정으로 간주하라. 체내 아드레날린 분비는 운동 반응속도를 높이고, 마음의 민첩성을 상승시킬 것이다.

인생의 역경이 닥칠 때, 우리는 야고보서 1장 2-4절의 말씀처럼 환경에 관계

> 없이 즐거워하며 역경을 극복할 수 있다. 이를 위해 하나님께서 만드신 사랑의 도구가 바로 '스트레스'이다. 특히 중첩의 때, 스트레스를 사랑의 도구로 여기라. 당신의 마음속에 성령의 열매가 자라나 큰 기둥이 되리라 확신하고 선한 것들을 선택하라. 그리고 하나님의 성품을 기억하기로 선택하라. 하나님의 성품은 '사랑'이다. 그 사랑이 우리로 하여금 인생의 문제들을 극복하도록 도와줄 것이다.
>
> 이처럼 스트레스를 긍정적으로 바라보라. 의식적으로 하나님의 성품을 되뇌라. 능동적·역동적 자기규제를 매일같이 연습하라. 63일 동안 스트레스 대처법을 연습하여 습관화하라. 당신이 스트레스를 받고 있음을 인식할 때, 즉시 손을 펼쳐 다른 사람을 도우라. '내 어려움은 넉넉히 이겨낼 수 있다'고 확신하면서 다른 사람들을 도와야 한다. 실제로 당신은 그리스도 안에서 이미 승리한 정복자이다(롬 8:37).

불편한 구역 3단계) 태도

세 번째 불편한 구역은 태도를 다루는데, 앞에서 말했듯이 태도는 감정이 얽혀 있는 장기 기억이다. 태도는 장기 기억이기 때문에 의식의 영역에 위치하며, 당신은 그것을 인식할 수 있다.

태도는 정보와 감정으로 어우러진 물리적 생각이다. 태도를 대할 때, 영(성령의 열매)과 혼(마음, 중첩)과 육(신체적 반응)에 집중하라. 태도는 살아 있고 실재하며, 에너지를 흡수하기 때문에 그 자취를 감출 수 없다. 태도는 당신의 말과 행동의 기저에 놓인 뿌리이다. 당신이 깊은 생각 모드에 돌입할 때, 그 생각들은 무의식의 주변을 맴돌며 점점 더 많은 에너지를 흡수한다. 그러다가 의식의 영역으로 이동하여 장기 기억(태도)으로 전환된다.

이 책에서 수차례 강조했듯, 생각이 당신을 통제하게 놔두어서는 안된다. 당신은 생각과 생태가 조종하는 대로 움직이는 무고한 피해자가 아니다. 많은 사람들이 유전을 거부할 수 없는 운명처럼 여기는데, 우리는 얼마든지 유전을 극복할 수 있다. 우리는 생각을 바꾸어 유전자 발현에 영향을 미칠 수 있다.

어쩌면 당신은 아주 오랫동안 부정적인 태도를 품어 왔을지도 모른다. 그래서 유해한 생각들과 친숙하고, 심지어 그러한 생각들이 정상인양 착각할 수도 있을 것이다. 이러한 착각은 흔히 일어나는 일이다. 그러나 당신이 '완전한 나' 안에 머물며 하나님의 관점을 자신의 것으로 삼을 때 품은 생각만이 정상이다. 그 외의 다른 모든 생각은 재구성해야 할 '비정상'이다. 과학 용어를 빌리자면, 재개념화해야 할 비정상적인 생각들인 것이다.

감사하게도 뇌가 지닌 신경가소성 덕분에 우리는 생각을 분석하여 재구성할 수 있다. 생각의 재구성은 성경이 말하는 '마음을 새롭게 하는' 일이다. 성령의 인도하심 안에서 건강하고 복된 삶을 살고 싶은가? 그렇다면 '마음을 새롭게 하는 일'은 필수이다.

'생각의 변화'는 성경의 진리와 과학이 만났다는 증거이다. 성경은 마음의 변화를 통해 우리의 생각이 변할 수 있음을 전제하기 때문에 '생각의 변화'를 끊임없이 촉구한다. 그런데 과학 연구결과에 의하면, 우리가 생각을 의식적으로 다룰 때 그 생각이 '변화에 취약한 상태'가 된다고 한다. 성경 말씀처럼 우리의 생각이 변화될 수 있다는 사실이 과학적으로 입증된 것이다. '깊은 생각' 모드에 돌입하면, 당신은 얼마든지 생각을 변화시킬 수 있다![12]

어린 시절 부모에게 학대를 당한 사람은 이후 새로운 사람을 만나 관계를 맺을 때마다 감정이 약해지는 것을 느낄 수 있다. 이를테면, 과거의 아픈 경험이 타인과의 만남을 어렵고 불편하게 만드는 것이다. 어쩌면 당신은 학창 시절에 수학 과목 때문에 오랫동안 고생했을지도 모른다. 수학 시간이 되면 염려와 두려움의 감정부터 차오르고, '난 잘 할 수 없어!'라며 은연중 부정적인 태도를 품었을 수도 있다. 그러다 보니 수업에 집중하지도 못하고, 매 시간 한 문제도 제대로 풀지 못했을 것이다. 이렇게 악순환이 반복되면서 수학을 증오하게 되었을지도 모른다.

새로운 만남을 두려워하게 되었든, 수학을 증오하게 되었든, 이처럼 부정적으로 활성화된 생각을 제대로 다루지 않으면, 그 생각은 다시금 무의식의 영역으로 깊이 파고들어가 전보다 더 강력해질 것이다. 무의식으로 들어간 부정적인 생각은 매우 역동적이고 강력한 믿음체계로 굳어지기 마련이다. 이러한 믿음체계는 당신의 '완전한 나'를 방해하여 정상적인 삶을 영위하지 못하도록 삶의 능력을 저하시킬 것이다.

그렇다고 좌절할 필요는 없다. 왜냐하면, 우리는 '깊은 사고'를 통해 믿음체계로 굳어진 생각까지도 바꿀 수 있기 때문이다!

어쩌면 우리의 모든 태도와 생각을 이런 식으로 바꿔야 한다는 사실이 우리를 주눅 들게 만들 수도 있다. 그러나 나의 '선택'에 의해 '나'라는 존재가 바뀐다는 것이 과학적 사실임을 알게 된 이상, 가만히 있을 수는 없다! 도전해 봐야 하지 않겠는가?

"나는 내가 원하는 사람이 될 수 있다!" 이 놀라운 기회의 문이 우리 앞에 열려 있다.

⟨3단계를 위한 Tip⟩

불쑥불쑥 일어나는 태도(감정이 얽혀 있는 생각)를 묵인하지 말라. 그러한 태도 그대로 반응하지 말라. 그 대신, 당신의 영(성령의 열매), 혼(중첩), 육(신체 반응)을 통해 자신의 태도를 규제하라. 건강한 태도는 그대로 유지하고, 건강하지 못한 태도는 제거하라.

태도는 감정이 얽혀 있는 생각 덩어리이다. 따라서 태도를 관찰하고 평가하는 것은 매우 중요하다. 유해한 태도는 당신으로 하여금 '완전한 나'를 이탈하게 만들며, 지혜로운 선택을 하는 능력을 저하시킬 것이다.

필요하다면, 태도를 재개념화하라. 재개념화가 제대로 이뤄지지 않을 경우, 다시 시도해 보라. 될 때까지 반복해야 한다. 특정 정보나 기술을 제대로 활용하고 사용하게 될 때까지, 당신은 63일에 걸쳐 적어도 일곱 번 이상 시행착오를 겪어야 한다.[13]

불편한 구역 4단계) 선택

태도(습관, 깊게 새겨진 믿음체계)가 지닌 힘은 실로 대단하다. 태도의 능력을 확실히 인식할 때, 우리는 나쁜 습관의 영향력 또한 올바르게 이해할 수 있다. 이제 네 번째 불편한 구역이 작동할 차례다.

네 번째 불편한 구역은 선택하는(선택 직전) 단계이다. 무언가를 선택하려는 순간, 당신은 능동적 중첩 상태에 들어간다. 당신은 솟아오르는 태도(불편한 구역 3단계)와 외부에서 유입되는 정보, 그리고 성령께서 영(성령의 열매)과 육(신체 반응)을 통해 주시는 지혜를 기반으로 선택 행위를 한다. 즉, 네 번째 불편한 구역은 1, 2, 3단계의 불편한 구역들과 함께 작동한다.

이 단계에서 마음의 활동을 주의하여 살피는 것은 별 생각 없이 유해한 반응을 제거하는 것보다 스트레스 해소에 훨씬 더 효과적이다. 여기서 '주의하여 살피는 것'은 영·혼·육의 체험을 의지적·의도적으로 고찰하려는 노력이다. 이처럼 네 번째 불편한 구역에서 당신은 의도적이고 의식적으로 자신의 영·혼·육을 살피게 된다. 특히 외부에서 유입되는 정보, 불쑥불쑥 일어나는 생각, 성령과의 대화를 주의 깊게 살펴야 하는데, 왜냐하면 우리가 이를 기반으로 선택 행위를 하기 때문이다.

fMRI를 사용한 연구는 뇌의 '자가 참조 네트워크'가 쉬지 않고 활동한다는 사실을 밝혀냈다. 참고로 자가 참조 네트워크는 아무것도 하지 않고 마음 가는 대로 두는 멍한 상태를 의미하는 디폴트 모드 네트워크 Default Mode Network, DFM 라고도 불린다. 우리가 외부요소를 차단하고 내면에 집중하여 묵상하는 동안, DFM은 활발하게 작동한다. 즉, 사색할 때나 깊은 생각에 사로잡힐 때, DFM이 활발해지는 것이다.

이러한 중첩 상태 또는 무언가를 선택하려는 상태(불편한 구역 4단계)에서 성령의 도움을 받아 좀 더 집중하기로 결심한다면, 당신은 그분의 지혜와 인도하심의 필요성을 깨닫고 성령께 주도권을 내어 드리게 될 것이다. 성령의 도움을 받은 당신은 마음의 평안을 얻는다. 또한 직관 능력이 개선되므로, 당신은 한 발자국 뒤로 물러나 객관적인 관찰자의 입장에 서서 자신을 바라볼 수 있게 된다. 이때 생각의 혼돈은 잠잠해지며, DFM 역시 내면의 고요한 상태에 반응한다.[14]

우리가 선택을 하는 순간, 감정을 지각하는 뇌 편도는 특정한 정보를 제공하여 우리의 선택 행위에 관여한다. 하지만 뇌 편도가 항상 정확한 정보를 제공하는 것은 아니다. 왜냐하면 뇌 편도는 반응을 통해 마음에 형성된 인식체계를 기반으로 작동하는데, 인간의 인식이 때때로 거짓을 말하기 때문이다. 사실, 뇌 편도에 저장된 감정들이 우리를 통제한다면, 사태는 매우 위험해질 수 있다.

그렇다면 올바르게 선택하기 위해 무엇을 해야 하는가? 하나님께서 우리에게 필요한 모든 것을 주셨다는 사실(벧후 1:3)을 인식해야 한다. 하나님은 모든 상황에 대처할 방법을 알려 주신다. 그러므로 하나님 없이는 어떤 것도 선택해서는 안 된다.

중첩 상태에서 우리는 끊임없이 하나님의 지혜를 구해야 하며, 성령의 열매에 집중해야 한다. 이렇게 63일 동안 연습하면, 이것이 습관으로 정착될 것이다. 성령님께 집중하며 깊이 생각함으로써 우리는 뇌 편도와 전두엽 피질을 오가는 회로를 제대로 활용하게 된다. 하나님께서 우리의 뇌에 장착해 주신 이 회로는 저울처럼 작동하여 이성과 감정의 균형을 맞춰 준다. 참고로 우리가 성령님께 집중하고 자기규제를 시행할 때, 뇌의 다른 모든 부위와 직접 연결되어 있는 전두엽이 활성화된다. 그래서 전두엽 피질과 뇌 편도를 오가는 회로가 올바르게 작동하여 감정과 이성의 균형을 맞춰 주는 것이다.

또한 뇌 전두엽 피질 PFC 은 기초 전뇌에 명령을 내리고, 기초 전뇌는 그 명령에 따라 뇌의 모든 프로세스 고리들을 활성화시킨다. 만일 우리가 성령님께 집중하여 전두엽을 활성화시키면, 기초 전뇌는 전두엽의 명령에 따라 건강한 반응을 뇌 전체로 흘려보낼 것이다. 우리의 마음이 깊이 생각하고 느끼고 올바르게 선택하는 방향으로 작동할 때, 기초 전뇌는 뇌의 나머지 부위들을 올바르게 관장하고 조정하고 통합한다.

우리가 '자아상'(자기 자신에 대한 생각)을 평가하고 이해하는 동안 우리의 뇌 전두엽 피질은 크게 활성화된다.15) 우리는 뇌 전두엽 피질과 뇌 편도를 잇는 회로를 사용하여 이리저리 날뛰는 감정을 통제하고 스트레스 반응을 제어한다. 이 회로는 앞에서 설명한 '사랑의 회로'와 같다. 우리는 이 회로를 활용하여 감정을 누그러뜨리고, 현실 상황을 이성적·객관적으로 판단한다. 말하자면, 마치 제3자의 눈으로 자신을 바라보듯 자신의 생각을 따로 떼어 놓고 관찰하는 것이다.

만일 이 작업을 제대로 수행하지 못하면, 우리는 '누려움의 구역'의 먹이로 전락하기 쉽다. 하지만 이와 달리 두려움을 통제할 경우, 우리 뇌의 줄무늬체가 활성화되어 안정감, 평안, 자신감을 되찾게 된다. 이 같은 감정들은 현실의 어려움에 대해 기쁨으로 반응하는 동인이 된다. 그러므로 생각, 감정, 기존의 기억, 신체 반응을 아는 것이 매우 중요하다. 왜냐하면 감정은 혈류를 따라 세포와 세포 사이를 지나며 기억에 대한 정보를 전달하는 '역동적 화학물질'이기 때문이다(감정은 추상적 개념이 아닌, 물리적 실체이다). 감정을 이루는 화학물질이 혈류를 따라 이동하며 기억의 정보를 세포에 전달하는 일은 '양자 활동'을 통해서도 일어날 수 있는데, 이는 우리의 뇌가 양자적 생체 컴퓨터와 같기 때문이다.

우리가 감정을 억누르면 언젠가, 어디에선가 폭발하게 되어 있다. 감정이 억눌릴 경우, 시상하부-뇌하수체-부신으로 이어지는 축선$_{HPA}$이 붕괴되어 비정상적으로 기능하게 되기 때문이다. 이 HPA16)에는 시상하부와 뇌하수체 분비선 및 신장 부근의 부신 분비샘이 포함되는데, 우리가 매일 일어나는 일들에 반응할 때, 바로 이 회로가 긴장과 이완을 반복하며 복잡하게 활성화된다.

> ⟨4단계를 위한 Tip⟩
>
> 중첩 상태에 놓인 당신은 자신의 생각과 느낌과 신체 반응을 의도적으로 관찰함으로써, '잘' 선택할 수 있다. 성령님께 "어떤 생각과 감정을 품어야 할지 알려 주십시오", "올바른 생각과 감정을 선택할 수 있도록 도와주십시오"라고 요청하기로 직관적으로 선택할 수 있다. 선택의 순간, 자신의 마음과 몸 안에서 어떤 일이 일어나는지 잘 살피고 인식하라. 이것은 모든 생각을 사로잡아 주님께 굴복시키는 방법이다.

지금까지 설명한 네 단계의 불편한 구역을 온전히 이해했다면, 당신은 자신의 나쁜 태도나 습관, 옳지 않은 믿음체계에 대해 점점 흥미를 잃을 것이다. 그 대신 자신의 태도에 대해 성령께서 하시는 말씀을 관심 있게 들을 것이다.

자신의 영혼과 신체의 음성에 귀 기울이라. 그러는 동안 당신은 유해한 생각과 느낌과 선택이 불러올 악영향을 온전히 깨닫게 될 것이다.[17] 또한 올바르지 않은 생각, 느낌, 선택에 대해서는 'No'라고 말할 줄 알게 되고, 고통과 유해한 생각을 내버리는 일은 점점 더 쉬워질 것이다. 결국 당신은 참된 자아, 곧 '완전한 나'의 상태로 회복될 것이다. 유해한 생각과 그릇된 감정과 반응들을 통제할 수 있다면, 우리는 자유를 얻고 하나님의 영광스러운 형상을 나타내며 거룩한 경주를 이어갈 수 있다.

우리 모두는 하나님께서 디자인해 두신 '완전한 나' 안에 거할 수 있다. 환경이나 상황이 어떻든 상관없이 당신은 '완전한 나'를 선택할 수 있다!

Chapter 8

'완전한 나' 차트

이번 장에서는 당신이 읽은 내용을 요약하여 차트에 담아 볼 것이다. 지금껏 배운 모든 내용을 한데 모아 살펴보면, 전체 그림을 이해하기가 훨씬 수월할 것이다. 맨 처음 정보가 유입되는 시점부터 마지막으로 선택하는 단계까지, 어떻게 프로세스가 진행되는지 살펴볼 것이다.

아래의 차트에서 당신은 세로로 열거한 네 개의 단락을 볼 수 있다. 각 단락의 타이틀은 '유입: 외부/내부', '완전한 나의 과학과 철학', '예', '불편한 구역'이다. 종축의 첫째 단락인 '유입: 외부/내부'에서는 환경이나 사건 등 외부 정보가 유입되는 과정과 기존의 기억을 통해 내부 신호가 유입되는 다섯 단계를 소개한다. 두 번째 단락인 '완전한 나의 과학과 철학'에서는 '완전한 나'를 뒷받침하는 철학과 과학을 소개한다. 세 번째 단락인 '예'에서는 말 그대로 몇 가지 예를, 그리고 네 번째 단락인 '불편한 구역'에서는 '완전한 나' 안에 머물기 위해 어떻게 불편한 구역을 사용해야 하는지를 이야기할 것이다.

유입: 외부/내부

유입: 외부/내부	'완전한 나'의 과학과 철학	예	불편한 구역
1. 자극 – 외부 세계로부터의 자극(다양한 사건들과 삶의 환경) – 내부 세계로부터의 자극(생각/기억) – 이 둘의 결합 이러한 자극이 우리의 마음을 준비시키고 뇌를 활성화시킨다.	독특하게 디자인된 뇌의 필터를 통해 양자 신호가 이동한다. 이때 당신은 자신만의 방법으로 반응하게 된다. 뇌 속에서 일어날 변화, 말과 행동으로 표현될 변화의 인과적 주체는 '당신'이다.	1. 의사에게서 진단을 받는다. 2. 가족 구성원과 논쟁한다. 3. 직장 상사에게서 이메일을 받는다. 4. 관계 맺고 있는 사람들과의 사이에서 무언가를 선택한다.	불편한 구역 1단계(단지 인식하는 단계) – 시간과 환경에 대한 당신만의 독특한 처리 과정이 활성화된다. 그 과정의 '완전한 나'의 필터를 통과한다. 유입 정보에 대한 당신의 인식과 독특한 해석이 렌즈 안으로 들어오며, 이 렌즈를 통해 유입되는 정보를 인식한다. 이 단계에서 '완전한 나'의 인식은 평안 또는 불편함의 감정을 낳는다.
2. 자극에 대한 무의식적 행위 – 새로 유입되는 정보와 비슷한 기존의 기억이 참고자료로 선택된다.	무의식 차원에서의 메타인지 행위가 '완전한 나'의 역동적 자기구조에 의해 처음으로 조화를 이루게 된다. 당신의 무의식은 새로 유입된 정보와 연관된 기존의 기술체계(생각/기억)를 찾아 참고하여 해당 정보를 해석한다. 이때, 기존의 기억은 새로 유입된 정보와 관련된 지식을 제공한다. 이 없는 기존 기억을 믿음에게 또는 태도라고 하는데, 새로 유입된 정보들은 기존 기억(믿음에게, 태도)의 필터에 걸러진다. 이때 뇌와 몸에게는 스트레스 반응이 시작되는데, 뇌와 몸의 반응 속도는 '양자 속도'이다. 이것을 촬영기계로 측정한다면, 우리가 생각하기 시작하기 0.35~0.55초 전에 무의식의 활동이 시작되는 사실을 알 수 있을 것이다.	당신은 지금 중점 상태에 있다(단지 인식하는 불편한 구역 1단계). 중점 상태에서 당신이 유입되는 정보와 마음에서 일어나는지를 인식하기 시작한다 (완전히 인식하는 것은 아니다).	1. 불편한 구역 1단계를 활용하여 영혼(마음), 육의 반응들을 주의 깊게 살피고, 현재 자신이 어떠하고 느끼는가를 평가한다. 2. 스트레스는 유익할 뿐 아니라 현재의 환경에 집중하도록 도와준다. 스트레스에 대한 반응이 당신에게 유익을 주도록 63일 동안 자신을 훈련하라. 스트레스를 받을 때, 최상의 결과를 얻도록 노력하라.

유입: 외부/내부	'완전한 나'의 과학과 철학	예	불편한 구역
3. 생각들이 외부로 이동하기 시작한다.	1. 동일한 패턴 발진이고, 걸맞은 이와 연관된 서술체의 활성화이다. 깊이 뿌리내린 생각들은 충분한 에너지를 얻고 의식의 영역으로 이동한다. 이런 식으로 63일 동안(21일 주기로 총 3회) 반복하여 생각한 것들은 '자동화'(습관화)된다. 2. 느슨적 자기규제와 억눌러 자기규제에 상호교류가 일어난다. 당신은 함께 유입되는 정보 및 믿음 유발 정보들을 온전한 인식하게 된다. 당신이 생각하고 느끼는 동안 마음의 행동이 활발해진다. 아직은 아무런 결정을 내리지 않은 상태로, 즉 분자들이 0과 1의 동시에 자리하는 상태이다. 그러므로 아무 힘도 일어나지 않는다. 양자들리학에서는 이런 현상을 가리켜 '중첩'이라 한다. 이때 당신이 선택할 수 있는 가능성(확률)의 범위는 무한대이다. 긍정적인 방향이든, 부정적인 방향이든 선택의 가능성에는 제한이 없다. 슈퍼당거의 확률파가 이 같은 가능성을 설명해 준다. 3. 당신이 선택할 때, 우선자 발현이 시작된다. 경험에 대한 새로운 기억(생각)이 형성될 때, 당신의 뇌 안에 단백질로 구성된 물리적 실체가 만들어진다.	당신은 스트레스의 영향을 느끼기 시작한다. 그 영향으로 심장박동 증가, 아드레날린의 폭발적 분비, 동공 확장, 근육의 긴장, 배를 한 대 얻어맞은 듯한 위장 통증, 메스꺼움, 목 근육의 긴장, 인후통, 요통 등의 증상이 나타난다. 과거 수학 시간에 그때의 교실, 선생님의 질문하셨을 때 답을 못해 맞게 거렸던 괴로운 기억이 의식의 영역에 자울대 "안돼!" 하고 소리 결렀을 수 있다. 이러한 기억들이 하나의 확률 자리 잡아 당신의 선택에 영향을 미친다. 선택을 통해 당신은 실제를 창조하게 된다.	불편한 구역 2단계 – 아드레날린이 급속도로 분비되고 심장박동이 빨라지는 상황. 1. 스트레스 반응을 '좋은 것'으로 여겨야 한다. 당신의 몸이 일으키는 모든 반응이 당신을 이롭게 하도록 유의하라. 2. '온전한 나'에게 능동적으로 접근하는 방법을 개발하라. 이것은 당신 인체에 도움이 됨이 확실. '온전한 나'를 이탈할 경우, 이 맞은 당신이 '온전한 나'로 향하도록 방향을 수정할 것이다. 이것은 위해 내가 제안하는 것은 '감사, 찬양, 경배'의 연습이다(부록 '완전한 나' 체크리스트 참고).

유입: 외부/내부

유형	'완전한 나'의 과학과 철학	예	불편한 구역
4. 능동적인 치우치기 – 이도적인 선택을 하게 된다.	선택을 하는 순간, 우선자 발현을 일으키는 신호가 작동한다. 단계적이 생성되고, 뇌 속에 기억이 인코딩돼 뇌 안에서 구조적 변화가 일어난다. 이것을 양자물리학의 언어로 설명하면, 하나의 확률이 선택됨으로써 확률파가 붕괴되고, 선택의 결과 실체가 창조된다고 할 수 있다.	1. 당신은 평온한 상태에 머물기로 선택하여 논리적으로 해결책을 생각해 낼 수 있다. 또한 두려움이 떠올려 선택하여 고집을 지를 수 있고, 사람들과 논쟁을 벌일 수도 있다. 이 같은 반응 패턴이 형성된다. 2. 진단 결과 일어나는 모든 부정적인 일들의 무게에 둘려 두려움에 떨어 울 수도 있다. 혹, 건강한 습관이 행성를 떼까지 치유의 말씀(성경)에 매달릴 수도 있다. 언제든, 당신의 반응은 변화될 수 있다.	당신은 불편한 구역 3단계(태도) 또는 4단계(선택) 안에 개할 수 있다. 예를 들어 당신은 짐상에서 일어나 자마자 현실 체처럼 떠올리며 "안 돼!" 라고 외칠 수도 있다. 1. 내면에서 솟아오르는 생각과 감정을 인식하고, 이에 집중하라. 2. 당신의 언어와 습관을 인식하고, 이에 집중하라. 특히 자신의 습관에 집중하라. 3. 성령님과 함께 가능성을 평가하라. 당신이 암송한 성경구절을 때 올려 보라. 4. '완전한 나' 안에 머물기 위해 불편한 구역을 활용하고, 스트레스가 당신에게 해가 되기보다는 유익이 되게 하라. 5. 불편한 구역 3단계(태도)를 확인하라. 현재 당신이 어떤 태도를 드러 내는지 인식하고 싶따라.

유형: 외부/내부	'완전한 나'의 과학과 철학	예	불편한 구역
5. 자극의 증거이 의식적으로 처리된다. 몇 초의 간격을 두 채 선택과 사이들이 행성된다.	이것은 끊임없이 일어나는 생각, 느낌, 선택의 사이클이다. 매 타인지 행위가 주도하는 의식적 인식 행하는 대화된다. 모든 수많은 자업을 수행하느라 불타오르고, 당신은 새로 유업되는 정보와 함께 기억을 화장에 가져 수조의 간격을 두고 생각, 느낌, 선택을 진행한다. 이것은 생각, 느낌, 선택으로 파동을 봉쇄하는 과정이다. 바로 이 과정이 당신의 뇌를 변화시킨다. 이때 당신은 집중력을 높여 능동적·역동적 자기 규제를 활성화할 필요가 있다.	어떤 사건에 대해 대화하거나 전화 통화로 이야기를 나누는 동안, 당신은 해당 사건에 대한 정보를 수용할 수 있다. 당신이 무엇에 대해 생각하든, 가장 많이 유입되는 그 생각이 당신의 뇌 안에서 가장 크게 자라날 것이다. 그러므로 당신이 그 생각을 매일없이 무심코 반주한다면, 당신은 그것을 장기 기억으로 자장하게 된다. 만약 그 기억이 (일어났을 수도 있고, 일어나지 않을 수도 있는) 미래의 일에 대한 유해한 근심이나 두려운 생각 당어리라면, 당신의 생각, 느낌, 선택의 분별력은 타협이 높에 빠질 것이다. 그러나 의식적으로 현재의 어려움을 주의 깊게 삼파 평가하고 건강한 생각을 붙잡기 때한다면, 당신은 뇌 속에 건강한 실체(구조물)를 만들어 놓게 될 것이다.	1. 당신의 생각, 느낌, 선택, 언어생활, 습관, 행동양식을 주의 깊게 삼파 인식한다. 2. 성령의 도우심으로 보다 의도적으로 그 모든 가능성을 인식하고 천천히 그 모든 가능성을 평가하는 연습을 한다면, '완전한 나'에 점점 더 가까워질 것이다.

에필로그

'개인의 독특함'을 어떻게 이해할 수 있을까? 이것은 참으로 광범위하고 심오한 신비이다. 우리가 창조주의 형상을 지녔다는 사실은 이 개념을 더욱 신비롭게 만든다. 나는 나 자신을 포함하여 우리 모두가 '완전한 나'의 놀라운 신비를 깨닫고 자신의 독특함을 이해하길 바란다. 우리는 IQ, SQ, EQ로 규정할 수 없는 존재이다.

자신의 정체를 인식하기 시작할 때, 우리는 삶의 의미를 깨달을 수 있다. 의미란 무엇인가? 참고로 의미는 뇌 속에서 일어나는 분석 작업의 결과물이 아니다. 한 점의 그림을 생각해 보라. 그림에 사용된 물감을 화학적으로 분석한다고 해서 작품의 의미를 알 수 있는 것이 아니다. 그림에서 반사된 빛의 광자가 우리 눈의 망막에 닿으면 전기적 파동이 발생하고, 그 충격이 시신경을 타고 뇌의 여러 부위로 전달되면 다양한 차원의 신경물리학적 프로세스가 진행된다. 그런데, 이런 과정을 분석한다고 해서 예술 작품의 의미를 알 수 있는 것도 아니다. 의미는 그림에 대한 당신만의 해석으로 얻을 수 있다. 여기서 말하는 해석은 당신만의 관점이고, 당신만의 문맥이며, 당신만의 '완전한 나'이다. 즉, 의미는 '완전한 나'의 해석을 통해 발전을 거듭하며, 우리 삶 가운데 일어나는 일들에 문맥을 부여해 준다.

우리의 생각, 느낌, 선택, 언어, 경험, 삶, 이 모든 것에 의미가 담겨 있다. 의미는 각 사람이 생각하고 느끼고 선택하는 독특한 방법을 통해 아름답게 구현된다. 우리는 '완전한 나'를 통해 인간으로 성장하며, 자신과 타인에 대해 더 많은 것을 알아간다.

우리는 '완전한 나'의 독특함을 수치화할 수 없다. '완전한 나'가 숫자에 갇혀 있을 수 없기 때문이다. 또한 '완전한 나'는 지능지수, 감성지수, 사회성지수로도 측정될 수 없다. 왜냐하면 당신은 이러한 숫자로 규정할 수 있는 존재가 아니기 때문이다. 당신은 그 이상이다.

당신에게는 '영원'이라는 특성이 내재한다. 당신은 매우 독특한 존재로, 자신만의 정체성을 지니고 있다. 당신은 사랑과 능력을 마음껏 사용하도록 디자인된 존재이다. 당신은 '자신만의 타입'을 가지고 있어서 이 세상 그 누구도 할 수 없는 일을 할 수 있다. 그러므로 당신이 있는 세상과 당신이 없는 세상은 천지 차이이다.

'완전한 나'를 이해하면, 우리는 '자신만의 타입' 안에서 자유를 누리며 살아갈 수 있다. 당신은 낮은 자존감, 자아 불신, 시기, 질투, 이기심으로부터 해방될 수 있다. 참고로 이런 것들은 당신의 뇌세포를 파괴한다.

하나님께서는 그리스도의 몸을 구성하는 우리 각 사람을 독특한 존재로 창조하셨다. 그리고 각 사람을 위해 독특한 목적을 세워 두셨다. 우리는 그리스도의 몸 안에서 이처럼 하나님이 세워 두신 목적을 이루어 나간다. 공동체이기 때문에 다른 사람의 성공이 내 성공의 한 부분을 차지한다. 다른 사람의 성공은 내 성공의 플러스 요인이지, 결코 마이너스 요인이 아니다. 이 사실을 깨닫기 때문에, 우리는 타인의 성공을 기뻐하고 즐거워할 수 있다. 시기와 질투 대신 사랑을 선택할 때, 우리의 뇌세포는 건강하게 자라난다. 그 결과 우리의 마음과 영혼과 육체 역시 건강해진다.

'완전한 나'를 따를 때, 당신은 열등감과 질투, 시기의 사슬에서 풀려나 참된 자아를 인식한다. 성공의 열쇠가 이미 내 안에 있다는 사실을 깨달아 알기에 타인의 성공을 부러워하지도 않고, 그들과 자신을 비교하지도 않는다. 다른 사람에게만 유의미한 성공의 열쇠를 갈망하는 일도 없다. 자신의 지문을 다른 사람의 지문에 일치시키려는 노력은 우리의 자존감에 상처를 입힐 뿐이다. 이처럼 '완전한 나'를 깨닫게 된 이상, 다른 사람처럼 되려는 노력은 멈춰질 것이다. 이제 당신은 겸손한 자신감을 드러낼 것이고, 온 세상은 당신의 당당한 모습을 목도할 것이다.

다른 사람의 성공 사례를 접하는 동안, 당신은 그들의 성공을 축하하고 기뻐하며 그들이 '완전한 나'에 쏟았던 열정과 인내에 대해 배울 것이다. 그렇게 할 때, 당신의 '완전한 나'가 나아갈 길에 놓인 장애물(한계)이 사라진다. 오직 당신만이 '당신'이 될 수 있다. 다른 사람이 되려고 노력하면, 당신은 형편없는 타인으로 전락할 것이다.

당신에게 내재한 '완전한 나'는 하나님을 사랑하고 이웃을 사랑하도록 디자인되었다. 그런데 만일 당신이 의심과 불안을 품고 살아간다면, 하나님의 디자인을 완벽하게 구현해 낼 수 없을 것이다. 어쩌면, 과거의 잘못과 실수에 발목 잡혀 끝없는 죄책감에 시달릴지도 모른다. 이 상태로 자신을 방치해 둘 경우, 당신은 자아정체성마저 잃게 될 것이다.

이 책을 읽는 동안 당신은 자신의 가치와 인생의 의미를 발견했다. 그리고 불안과 의심을 떠나보내는 방법도 배웠다. 이미 당신은 '완전한 나'(자신만의 독특한 생각, 느낌, 선택 방법)를 향해 첫걸음을 떼었다. 어떻게 하면 깊은 사고에 잠길 수 있는지, 그 방법을 터득하기 시작했다. 자신의 몸과 마음에서 일어나는 일에 더 많은 관심을 갖게 되었다. 이러한 배움과 관심은 당신이 '완전한 나' 안에 머물도록 도와줄 것이다. 바꿀 수 없는 과거의 경험을 어떻게든 회피하거나 바꿔 보려고 안간힘을 다하는 대신, 그 경험을 용감하게 직면하여 재해석할 준비가 되어 있다!

이 세상은 가능성으로 가득하다. 지금 당신은 교차로에 서 있다. 그 길 한복판에서 당신은 "나는 '완전한 나'를 통해 나만의 가능성을 실현하고 의미 있게 구현해 낼 것이다!"라고 선택할 수 있다. 이 일이 가능한 까닭은, 이 세상 그 누구도 볼 수 없는 그것을 당신이 볼 수 있기 때문이다. 이것은 당신에게만 유의미한 경험이며, 당신만의 독특한 체험이다. '완전한 나'를 통해 독특한 실체를 창조해 나가는 동안, 당신은 세계관(이 세상에 대한 지식)을 재개념화하고, 당신만이 해낼 수 있는 일로 이 세상을 개선할 것이다.

당신은 다른 사람과 충돌하고 갈등을 빚도록 지음 받은 존재가 아니다. 당신은 자신만의 독특함을 마음껏 뽐내며 주변의 모든 사람과 조화를 이루며 살아가도록 지음 받았다. 즉, 이 세상은 나와 나 이외의 사람들로 양분되는 것이 아니라 '그들 가운데 있는 나'로 표현된다. '완전한 나'를 통해 표현되는 당신만의 독특한 마음은 하나님의 영광을 드러내고, 하늘을 이 땅으로 달아 내려 이 세상을 보다 아름다운 곳으로 만들어낼 것이다.

당신은 찬란하다!

살아 있는 모든 것은 독특한 존재로 인정받기 위해 소리 없이 울부짖는다.
– 시몬느 베이유, 철학자

주

머리말

1) 션 맥도웰, 조나단 모로우 공저, 《Is God Just a Human Invention? And Seventeen Other Questions Raised by New Atheists》(신은 인간의 발명품인가? 신[新]무신론자들이 제기한 17가지 질문, GrandRapids 출판, 2011), 킨들 버전, 1525.

2) 키스 워드, 《The God Conclusion: God and the Western Philosophical Tradition》(신의 해결책: 신과 서구 사회의 철학 전통, 런던, Longman and Todd 출판, 2009), 킨들 버전, 843.

3) 데이비드 브룩스, 《The Road to Character》(성품 형성의 길, 뉴욕, Random House 출판, 2015).

Chapter 1

1) J. M. 슈워츠, S. 비글리, 《The Mind and Brain》(마음과 뇌, 뉴욕, Harper Collins 2009), 킨들 버전, 377.

2) 캐롤라인 M. 리프, "The Mind Mapping Approach: A Model and Framework for Geodesic Learning"(생각지도 접근법: 즉지적 학습을 위한 모본과 틀, 출판되지 않은 박사 논문, 남아프리카 공화국, 프리토리아 대학, 1997).

3) H. P. 스태프, "Quantum Interactive-Dualism: An Alternative to Materialism"(양자 상호이원론: 물질주의의 대안), 《Journal of Religion and Science 3》 (2006) doi:10.1111/j.1467-9744.2005.00762.x, http://www-atlas.lbl.gov/~stapp/QID.pdf.

4) 제프리 M. 슈워츠, 헨리 P. 스태프, 마리오 뷰어가드 공동 집필, "Quantum Physics in Neuroscience and Psychology: A Neurophysical Model of Mind-Brain Interaction"(신경과학과 심리학에서의 양자물리학: 생각과 뇌의 연계성을 살피는 신경물리학 모델), 《Philosophical Transactions of the Royal Society B 360》 no 1458 (2005): 1309-1327, doi: 10.1098/rstb.2004.1598.

5) 캐롤라인 리프, "The Mind Mapping Approach"(생각지도 접근법); 캐롤라인 리프,

"The Mind Mapping Approach: A Therapeutic Technique for Closed Head Injury"(생각지도 접근법: 폐쇄성 뇌손상에 대한 치료 기술, 출판되지 않은 석사 학위 논문, 남아프리카 공화국 프리토리아, 프리토리아 대학교, 1990); 캐롤라인 리프, "The Mind Mapping Approach(MMA): A Culture and Language-Free Technique"(생각지도 접근법: 문화와 언어로부터 자유로운 기술),《The South African Journal of Communication Disorders 40》: 35-43; 캐롤라인 리프 "The Development of a Model for Geodesic Learning"(측지 연구를 위한 모델 개발),《The South African Journal of Communication Disorders 44》(1997): 53-70; 캐롤라인 M. 리프, 이사벨 우이스, 브렌다 루 공동 집필, "An Alternative Non-Traditional Approach to Learning: The Metacognitive-Mapping Approach"(학습에 대한 비전통적 대체 접근 방법: 메타인지 지도 접근법),《The South African Journal of Communication Disorders 45》(1998): 87-102; 캐롤라인 리프, 브렌다 루, 이사벨 우이스 공동 집필, "The Development of a Model for Geodesic Learning: The Geodesic Information Processing Model"(측지 연구를 위한 모델 개발: 측지 정보처리 모델)《The South African Journal of Communication Disorders 44》(1997).

6) 캐롤라인 리프 "Mind Mapping"(생각지도).
7) 슈워츠 & 비글리《The Mind and Brain》(마음과 뇌), 27.
8) 윌리엄 R. 유탈, "The Two Faces of MRI"(MRI의 두 얼굴),《Cerebrum》, 다나 재단, 2002년 7월 1일, http://www.dana.org/Cerebrum/Default.aspx?id=39300.
9) 브라이언 레스닉, "There's a Lot of Junk FMRI Research Out There. Here's What Top Neuroscientists Want You to Know"(쓸모없는 FMRI 연구가 너무 많다. 최고의 신경과학자들이 당신에게 알려주고 싶은 것들),《Vox》, 2016 9월 9일 http://www.vox.com/2016/9/8/12189784/fmri-studies-explained; A. Eklund et al., "Cluster Failure: Why FMRI Inferences for Spatial Extent Have Inflated False-Positive Rates"(집단 장애: 왜 공간범위에 대한 FMRI 추론치는 가양성율을 크게 높였는가),《Proceedings of the National Academy of Sciences 113》no. 28 (2016): 7900-7905.
10) 알렉시스 매드리걸, "Scanning Dead Salmon in FMRI Machine Highlights Risk of Red Herrings"(fMRI 기계로 연어 사체를 스캔할 때: 훈제 청어의 위험이 도드라지다),《Wired.com》, 2009년 9월 19일, http://www.wired.com/2009/09/fmrisalmon/.
11) J. R. 미들턴,《해방의 형상: 창세기 1장의 이마고 데이》(The Liberating Image: the Imago Dei in Genesis 1, SFC 출판, 2010).

Chapter 2

1) J. 캐언스, J. 오버바우 외, "The Origin of Mutants"(돌연변이의 기원),《Nature 35》(1988): 142-145.

2) 빙햄턴 대학 "Researchers Can Identify You by Your Brain Waves with 100 Percent Accuracy"(연구자들은 뇌파만 보고도 그것이 누구의 것인지 100% 정확하게 알아맞힐 수 있다),《Science Daily》, 2016년 4월 18일, https://www.sciencedaily.com/releases/2016/04/160418120608.htm; 마리아 V. 루이스-블론뎃 외, "A Novel Method for Very High Accuracy Event-Related Potential Biometric Identification"(고도의 정확성을 기한 새로운 방법, 사상 잠재 생체 인식),《CEREBRE: IEEE Transactions on Information Forensics and Security 11》no 7 (2016): 1618, doi: 10.1109/TIFS.2016.2543524.

3) 와이즈만 과학 연구소, "Smell Fingerprints? Each Person May Have a Unique Sense of Smell"(후각 지문이라고? 각 사람은 저마다 독특한 후각을 가지고 있을지도 모른다),《Science Daily》, 2015년 6월 30일, https://www.sciencedaily.com/releases/2015/06/150630100509.htm.

4) 웰컴 트러스트, "Brain's Architecture Makes Our View of the World Unique"(뇌의 구조물은 우리의 세계관을 '독특한 것'으로 만든다),《Science Daily》, 2010년 12월 6일, https://www.sciencedaily.com/releases/2010/12/101205202512.htm.

5) "Professor Keith Ward - Religion and the Quantum World"(키스 워드 교수 - 종교와 양자 세계), YouTube 영상, 2013년 1월 9일 Mystical Theosis 업로드. https://youtu.be/z4VjaoVHqNk, 참조 내용 시간대 18:00-18:25.

6) 크리스틴 서튼, "Fifty Years of Bell's Theorem"(벨 정리, 50년), CERN(유럽 입자물리 연구소), 2014년 11월 4일, https://home.cern/about/updates/2014/11/fifty-years-bells-theorem; J. S. 벨, "On the Einstein Podolsky Rosen Paradox"(아인슈타인, 포돌스키, 로젠의 역설에 대하여),《Physics 1》no. 3 (1964): 195-200, https://cds.cern.ch/record/111654/files/vol1p195-200_001.pdf?version=1; J. S. 벨,《Speakable and Unspeakable in Quantum Mechanics: Collected Papers on Quantum Philosophy》(양자역학에서 할 수 있는 말, 할 수 없는 말: 양자역학에 대한 논문 모음집, 캠브리지 대학 출판, 2004), 킨들 버전.

7) "Mental Health: A State of Well-Being"(정신건강: 잘 사는 상태), 국제 보건기구, 2014년 8월, https://www.who.int/features/factfiles/mental_health/en/.

Chapter 3

1) 미들턴, 《해방의 형상》.

2) 스탠튼 필, 아치 브로스키 《Love and Addiction》(사랑과 중독, Taplinger 출판, 1975), 스탠튼 필, "The 7 Hardest Addictions to Quit - Love is the Worst"(가장 끊기 어려운 7가지 중독 - 그중 최악은 사랑이라), 《Psychology Today》, 2008년 12월 15일, https://www.psychologytoday.com/blog/addiction-in-society/200812/the-7-hardest-addictions-quit-love-is-the-worst; 스탠 태트킨, 《Wired for Love: How Understanding Your Partner's Brain and Attachment Style Can Help You Defuse Conflict and Build a Secure Relationship》(사랑에 격앙되다: 어떻게 연인의 뇌와 집착성향을 이해하는 것이 갈등을 해소하고 건강한 관계를 맺는 데 도움이 되는가, New Harbinger 출판, 2011); E. R. 캔델, 《In Search of Memory: The Emergence of a New Science of Mind》(기억을 찾아서: 마음을 다루는 새로운 과학의 출현, Norton 출판, 2008); 엘리자베스 세토, 조슈아 A. 힉스, "Disassociating the Agent from the Self: Undermining Belief in Free Will Diminishes True Self-Knowledge"(자신에게서 행위의 동인을 분리하다: 자유의지에 대한 믿음을 잠식할 경우 참된 자아를 인식하기가 어렵다), 《Social Psychological and Personality Science 7》(2016): 726-734, doi: http://dx.doi.org/10.1177/1948550616653810; A. G. 크리스티 외, "Straying from the Righteous Path and from Ourselves: The Interplay between Perceptions of Morality and Self-Knowledge"(옳은 길, 그리고 나 자신에게서 이탈하다: 도덕성의 인식과 자기인식의 상호작용), 《Personality and Social Psychology Bulletin 1》no. 42 (2016):1538-1550; F. 지노 외, "The Moral Virtue of Authenticity"(진정성의 윤리적 가치), 《Psychological Science 26》no. 7 (2015): 983-986.

3) 캔디스 B. 퍼트, 《Molecules of Emotion: The Science behind Mind-Body Medicine》(감정의 분자: 마음과 몸의 의학 배후에 있는 과학, Scribner 출판, 2010), 킨들 버전; 브루스 H. 립튼, 《The Biology of Belief》(믿음의 생물학, Hay House 출판, 2008), 킨들 버전, loc, 115ff.; 마이클 A. 퍼거슨 외 "Reward, Salience, and Attentional Networks Are Activated by Religious Experience in Devout Mormons"(종교적 체험에 의해 활성화되는 보상, 특징, 주의력 네트워크 - 경건한 몰몬교도의 경우), 《Social Neuroscience》(2016), doi:10.1080/17470919.2016.1257437; 앤젤라 존스 외, "Relationships between Negative Spiritual Beliefs and Health Outcomes for Individuals with Heterogeneous Medical Conditions"(부정적인

영적 믿음과 건강과의 상관관계 - 서로 다른 건강상태에 있는 개인의 경우),《Journal of Spirituality in Mental Health 17》no. 2 (2015): 135, doi:10.1080/19349637.2015.1023679; 신경과학학회, "Be Afraid, Be Very Afraid, If You Learned To: Study on Fear Responses Suggests New Understanding of Anxiety Disorders"(두려워하라. 매우 두려워하라. 그렇게 배웠다면: 두려운 반응들은 불안장애에 대한 새로운 이해의 장을 열어 준다),《Science Daily》(2007년 1월 24일), www.sciencedaily.com/releases/2007/01/070123182010.htm; M. A. 펜조, V. 로버트, B. 리 공동 집필, "Fear Conditioning Potentiates Synaptic Transmission onto Long-Range Projection Neurons in the Lateral Subdivision of Central Amygdala"(두려움 조절을 통해 중앙 편도선 측면의 일부에 위치한 장거리 발사 뉴런들에 시냅스 전송을 강화할 수 있다),《Journal of Neuroscience 34》no. 7 (2014): 2432, doi:10.1523/JNEUROSCI.4166-13.2014.

4) 요메이라 F. 구즈만 외, "Fear Enhancing Effects of Septal Oxytocin Receptors"(중격 옥시토신 수용체가 지닌 공포감을 높이는 효과),《Nature Neuroscience》(2013), doi:10.1038/nn.3465; 패티 판 캐플렌 외, "Effects of Oxytocin Administration on Spirituality and Emotional Responses to Meditation"(옥시토신의 투여 효과 - 명상을 할 때 영성 및 감정적 반응의 변화),《Social Cognitive and Affective Neuroscience》(2016), doi:10.1093/scan/new078; 돈 웨이 외 "Endocannabinoid Signaling Mediates Oxytocin Driven Social Reward"(체내 칸나비노이드 신호는 옥시토신이 주는 사회적 보상을 중재한다),《PNAS》(2015년 10월 26일), doi:10.1073/pnas.1509795112.

5) 비엔나 의학 대학, "Dopamine: Far More Than Just the 'Happy Hormone'"(도파민: 단지 행복 호르몬이라고 할 수 없다. 그 이상이다),《Science Daily》(2016년 8월 31일), https://www.sciencedaily.com/releases/2016/08/160831085320.htm; 존 D. 살라몬, 메르세이 꼬레아 공동 집필, "The Mysterious Motivational Functions of Mesolimbic Dopamine"(중뇌 변성 도파민이 지닌 신비한 기능: 동기부여),《Neuron 76》no. 3 (2012): 470, doi:10.1016/j.neuron.2012.10.021.

6) M. J. 파울린 외, "Giving to Others and the Association between Stress and Mortality"(다른 사람에게 주는 것, 그리고 스트레스와 죽음의 관계),《Am J Public Health 103》no. 9 (2013년 9월): 1649-1655, doi:10.2105/AJPH.2012.300876; E. B. 라포사, H. B. 로스, E. B. 안셀 공동 집필, "Prosocial Behavior Mitigates the Negative Effects of Stress in Everyday Life"(일상적인 스트레스의 부정적 영

향을 줄이기 위한 친사회적 행동), 《Clinical Psychological Science》 (2015), doi: 10.1177/2167702615611073.

7) 영국 신경과학협회, "How Our Bodies Interact with Our Minds in Response to Fear and Other Emotions"(두려움 및 여러 다른 감정들에 반응할 때, 우리의 몸과 마음은 어떻게 상호작용하는가?), 《Science Daily 7》 (2013년 4월), www.sciencedaily.com/releases/2013/04/130407211558.htm; 데미안 레포조 외, "Glutamatergic and Dopaminergic Neurons Mediate Anxiogenic and Anxiolytic Effects of CRHR1"(글루타민 작용성, 도파민 작용성 뉴런들은 CRHR1의 불안증세 증가 및 불안증세 완화 효과를 매개한다), 《Science 333》 no. 6051 (2011년 9월 30일): 1903-1907, doi:10.1126/science.1202107; T. 스타이머, "The Biology of Fear and Anxiety-Related Disorders"(두려움과 불안장애의 생태), 《Dialogues in Clinical Neurosciences 4》 no. 3 (2002): 231-249.

8) 스탠튼 필, "가장 끊기 어려운 7가지 중독", 엘리자베스 세토, 조슈아 A. 힉스, "자신에게서 행위의 동인을 분리하다", 726-734; A. G. 크리스티 외, "옳은 길, 그리고 나 자신에게서 이탈하다"; F. 지노 외, "진정성의 윤리적 가치."

9) S. 사텔, S. O. 릴리엔필드, 《Brain Washed: The Seductive Appeal of Mindless Neuroscience》(세뇌: 어리석은 신경과학의 매혹적 어필, Basic Books 출판, 2013), 49-72.

10) B. H. 립튼, "Insight into Cellular Consciousness"(세포의식에 대한 통찰), 《Bridges 12》 no. 1 (2012): 5; M. 거쉬너, "Discovery of Quantum Vibration in Microtubules Inside Neurons Corroborates Controversial 20-Year-Old Theory of Consciousness" (뉴런 내, 미세소관에서 발견된 양자 진동 - 20년 전 발표된 의식 이론의 논란을 잠재우다), 《Elsevier》 (2014년 1월 16일), https://www.elsevier.com/about/press-releases/research-and-journals/discovery-of-quantum-vibration-in-microtubules-inside-neurons-corroborates-controversial-20-year-old-theory-of-consciousness; 디팩 초프라, 《How Consciousness Became the Universe: Quantum Physics, Cosmology, Relativity, Evolution, Neuroscience, Parallel Universes》(의식은 어떻게 우주가 되었나? 양자물리학, 우주론, 상대성, 진화, 신경과학, 평행우주, 캠브리지 Cosmology Science Publishers 출판, 2015).

11) 피터 킨더만, 《The New Laws of Psychology: Why Nature and Nurture Alone Can't Explain Human Behavior》(새로운 심리학 법칙: 왜 자연과 양육만으로는 인간의 습성을 설명할 수 없는가?, Robinson 출판 2014).

12) 내가 운영하는 웹페이지 www.drleaf.com에서 이 주제에 관한 여러 다양한 의견들을 참고하라. 특히 정신건강에 관해서는 http://drleaf.com/blog/a-brief-history-of-mental-health-care-in-the-twentieth-century/를 참고하라. 그리고 정신건강을 주제로 인터뷰한 TV 프로그램도 보기 바란다. http://drleaf.com/broadcast/; P. R. 브레긴 "Rational Principles of Psychopharmacology for Therapists, Healthcare Providers and Clients"(의료기술 전문가, 건강관리 업체 및 고객들을 위한 합리적 정신약리학 원칙), 《Journal of Contemporary Psychotherapy 46》 (2016): 1-13; P. R. 브레긴, "The Biological Evolution of Guilt, Shame and Anxiety: A New Theory of Negative Legacy Emotions"(죄책감, 수치, 근심의 생물학적 진화: 유전되는 부정적 감정에 대한 새 이론), 《Elsevier Medical Hypotheses 85》 (2015): 17-24.

13) B. H. 립튼, "Insight into Cellular Consciousness"(세포의식에 대한 통찰), 5; B. H. 립튼, 《The Biology of Belief: Unleashing the Power of Consciousness》(믿음의 생물학: 의식의 힘을 풀어놓다, Mountain of Love/Elite Books 출판, 2005).

14) 캐롤라인 리프, 《뇌의 스위치를 켜라》(순전한나드 출판, 2015), "21일 두뇌 해독 플랜", www.21daybraindetox.com.

15) 코스마스 D. 아놀드 외, "Genome-Wide Quantitative Enhancer Activity Maps Identified by STARR=Seq"(STARR = Seq로 식별되는 게놈 와이드 정량적 증강 인자 활성 지도), 《Science 339》 no. 6123 (2013년 3월 1일): 1074-1077, doi:10.1126/science.1232542; L. I. 파트루셰프, T. F. 코발렌코, "Functions of Noncoding Sequences in Mammalian Genomes"(포유류 게놈의 비[非]코딩 시퀀스의 기능), 《Biochemistry (Mosc.) 79》 no. 13 (2014년 12월): 1442-1469; 마놀리스 켈리스 외, "Defining Functional DNA Elements in the Human Genome"(인간 게놈의 기능적 DNA 요소를 정의하다), 《Proc Natl Acad Sci USA 111》 no. 17 (2014년 4월 29일): 6131-6138, 펄라 칼리만 외, "Rapid Changes in Histone Deacetylases and Inflammatory Gene Expression in Expert Meditators"(전문 명상가에게서 나타나는 히스톤 데아세틸라제 및 염증 유전자 발현의 급속한 변화), 《Psychoneuroendocrinolgy 40》 (2014년 2월): 96-107.

16) 로빈 홀리데이 "Epigenetics: A Historical Overview"(후성유전학: 역사 개관), 《Epigenetics 1》 no. 2 (2006); 에이드리언 버드, "Perceptions of Epigenetics"(후성유전학 견해), 《Nature 447》 no. 7143 (2007년): 396398.

17) J. J. 데이, J. D. 스위트, "Epigenetic Mechanisms in Cognition"(인식 영역에서의 후성유전학 메커니즘), 《Neuron 70》 no. 5 (2011): 813-829.

18) 트리그베 톨레프스볼 편집, 《Handbook of Epigenentics: The New Molecular and Medical Genetics》(후성유전학 핸드북: 새로운 분자 유전학, 의학 유전학, Elsevier/Academic Press 출판, 2011).

19) 밥 웨인홀드, "Epigenetics: the Science of Change"(후성유전학: 변화의 과학), 《Environmental Health Perspectives 114》 no. 3 (2006): A160; 펄라 칼리만 외, "전문 명상가에게서 나타나는 히스톤 데아세틸라제 및 염증 유전자 발현의 급속한 변화."

20) J. 캐언스, J. 오버바우, 스티븐 밀러, "The Origin of Mutants"(돌연변이의 기원), 《Nature 335》 (1988): 142-145; H. F. 니즈하우트 "Metaphors and the Role of Genes in Development"(발전 중인 유전자의 역할과 메타포), 《Bioessays 12》 no. 9 (1990): 441-446.

21) 헨리 스태프, "Mind and Values in the Quantum Universe"(양자 우주에서의 생각과 가치), 《Information and the Nature of Reality from Physics to Metaphysics》(물리학에서 형이상학으로, 실체의 정보와 본질, P. C. W. 데이비스, 닐스 헨릭 그레거슨 편집, Cambridge University Press 출판, 2014): 157.

22) J. R. 미들턴, 《해방의 형상》 (SFC 출판, 2010): 14-89.

23) S. A. 맥기, 《Heaven's Reality: Lifting the Quantum Veil》(천국의 실체: 양자 베일을 벗기다, Glistening Prospect Bookhouse 출판, 2016).

24) 헨리 스태프, "양자 우주에서의 생각과 가치."

Chapter 4

1) J. A. 휠러, 《A Journey into Gravity and Spacetime》(중력과 시공간으로의 여행, W. H. Freeman 출판, 1990).

2) 키스 워드, 《The Evidence for God: The Case for the Existence of the Spiritual Dimension》(신의 존재 증거: 영적 세계의 존재에 대한 사례 연구, Longman and Todd 출판 2014), 킨들 버전; 키스 워드 "The New Atheists"(새로운 무신론자들), YouTube 동영상, 37:32, ObjectiveBob 업로드, 2012년 8월 29일, https://www.youtube.com/watch?v=fkJshx-715w; 키스 워드, 《God Conclusion》(하나님의 결론), 킨들 버전 loc. 759-760.

3) 키스 워드, 《The Big Questions in Science and Religion》(과학과 종교의 커다란 질문들, Templeton Press 출판, 2008), 킨들 버전.

4) J. C. 에클스, K. 포퍼, 《The Self and Its Brain: An Argument for Interactionism》(자아와 뇌: 상호작용에 대한 논의, Taylor and Francis 출판, 2014), 킨들 버전.

5) 사텔, 릴리엔필드, 《Brain Washed》(세뇌); J. 쿠니크 "Psychiatric Neuroimaging Evidence: A High-Tech Crystal Ball?"(정신 신경 이미지 증거: 최첨단 기술의 수정구), 《Stanford Law Review 49》(1997): 1249-1270; E. 몬테로소 외, "Explaining Away Responsibility: Effects of Scientific Explanations on Perceived Culpability"(논리적인 설명으로 책임을 면하게 하다: 인식된 유죄에 대한 과학적 설명의 효과)《Ethics and Behavior 15》no. 2 (2005): 139-153.

6) A. 켈러 외, "Does the Perception That Stress Affects Health Matter?"(스트레스가 건강에 영향을 준다는 사실을 인지하는 것이 중요한가?), 《Health Psychology 31》 no. 5, (2012): 677-684, https://www.ncbi.nlm.nih.gov/pubmed/22201278; 비앙카 노그레이디, "Chronic Stress Enhances Cancer Spread through Lympatic System"(만성 스트레스로 인해 암이 체내 림프선을 통해 퍼지는 속도가 빨라진다), 2016년 3월 2일, ABC 뉴스, https://mobile.abc.net.au/news/2016-03-02/chronic-stress-enhances-spread-of-cancer-through-lymph-system/7211536; M. J. 파울린 외, "Giving to Others and the Association between Stress and Mortality"(다른 사람에게 베푸는 것, 그리고 스트레스와 죽음과의 관계), 《American Journal of Public Health 103》 no. 9 (2013년 9월): 1649-1655, http://www.ncbi.nlm.nih.gov/pubmed/23327269; L. 씬, R. P. 슬론, "Linking Daily Stress processes and Laboratory-Based Heart Rate Variability in a National Sample of Midlife and Older Adults"(중년 및 고령 인구 대상으로 연구: 일상의 스트레스와 실험실에서 측정한 심박동 변동의 연관성), 《Psychosomatic Medicine》 (2016): 1, doi:10.1097/PSY.0000000000000306; C. C. 울포드 외, "Transcription Factor ATF3 Links Host Adaptive Response to Breast Cancer Metastasis"(활성전사조절인자 ATF3가 유방암 전이에 대해 적응 반응을 일으킨다), 《Journal of Clinical Investigation 123》 no. 7 (2013): 2893, doi:10.1172/JCI64410.

7) R. 스윈번, 《Mind, Brain, and Free Will》(마음, 뇌, 그리고 자유의지, Oxford University Press 출판, 2013).

8) 사브리나 타버니스, "First Rise in U.S. Death Rate in Years Surprises Experts"(수년 만에 처음 미국의 사망률이 상승하다: 이 사실에 전문가들이 놀라다, The NewYork Times, 2016년 6월 1일), http://mobile.nytimes.com/2016/06/01/health/american-death-rate-rises-for-first-time-in-a-decade.html?_r=2&referer=; CDC(미 질병 통제 예방 센터), "Vital Statistics Rapid Release: Quarterly Provisional Estimates"(주요 통계 신속 보고: 분기별 추정치), 《National Center for Health

Statistics》, http://www.cdc.gov/nchs/products/vsrr/mortality-dashboard.htm.

9) 마크 리플리, 조애나 몬크리에프, 쟈크 딜런, 《De-Medicalizing Misery: Psychiatry, Psychology and the Human Condition》(의료를 통한 불행: 정신의학, 심리학, 그리고 인간의 상태, Palgrave Macmillan 출판, 2011).

10) 악셀 클리어만스, "Radical Plasticity Thesis: How the Brain Learns to Be Conscious"(급진적인 가소성 논제: 어떻게 뇌는 자각하는 법을 배우는가), 《Frontiers in Psychology 2》 no. 86 (2011년 5월 9일), doi:10.3389/fpsyg.2011.00086; 올리비아 골드힐, "A Civil Servant Missing Most of His Brain Challenges Our Most Basic Theories of Consciousness"(뇌의 대부분을 상실한 공무원의 사례가 '의식'에 대한 가장 기본적인 이론을 반박하다), 《Quartz》 (2016년 7월 2일), http://qz.com/722614/a-civil-servant-missing-most-of-his-brain-challenges-our-most-basic-theories-of-consciousness/.

11) J. C. 에클스, K. 포퍼, 《The Self and Its Brain: An Argument for Interactionism》(자아와 뇌: 상호작용에 대한 논의, Taylor and Francis 출판 2014), 킨들 버전 loc. 241.

12) 키스 워드, 《The Big Questions in Science and Religion》(과학과 종교의 커다란 질문들).

13) Ibid.

14) Ibid.

15) Ibid.

16) 헨리 스태프, "Mind and Values in the Quantum Universe"(양자 우주에서의 생각과 가치).

17) 리처드 도킨스, 《에덴의 강: 리처드 도킨스가 들려주는 유전자와 진화의 진실》(River Out of Eden: A Darwinian View of Life 사이언스북스 출판, 2014, 본래 제목은 '에덴에서 나온 강: 생명에 대한 다윈주의자들의 관점'이지만 한국어 번역서의 제목은 '에덴의 강'이다 - 역자 주).

Chapter 5

1) 킨더만, 《The New Laws of Psychology》(새로운 심리학 법칙).

2) B. 드라간스키 외, "신경가소성: 훈련을 통한 회색 물질의 변화", 《Nature 427》 no. 6972 (2004): 311-312; H. K. 만지, R. S. 듀먼 공동 집필, "중증 감정장애에서의 신경가소성과 세포 회복력의 결함: 신(新) 치료법 개발을 위한 적용", 《Psychopharmacology Bulletin 5》 no. 2 (2000): 5-49; T. F. 뮌테, E. 알텐뮐러, L. 옌키 공동 집필, "신경가소성 모델로

제시한 음악가의 뇌", 《Nature Reviews Neuroscience 3》 no. 6 (2002): 473-478.

3) 내 연구와 관련한 참고자료들을 확인하라.

4) 하워드 가드너, 《Frames of Mind》(마음의 틀, 뉴욕: Basic Books 출판, 2011); J. M. 샤인 외, "기능적 두뇌 네트워크의 역동성: 인지 활동 중 통합된 네트워크 상태", 《Neuron 92》 no. 1 (2016년 10월 19일): pp. 544-554, doi:10.1016/j.neuron.2016.09.018.

5) 캐롤라인 리프, 《뇌의 스위치를 켜라》; P. 랠리, "습관은 어떻게 형성되는가: 실생활에서 습관이 형성되는 사례 연구", 《European Journal of Social Psychology 40》 no. 6 (2010): 998-1009; 제임스 클리어, "새로운 습관으로 정착되기까지 얼마나 오래 걸리는가?", http://jamesclear.com/new-habit.)

6) M. M. 메르제니흐 외, "언어 학습 장애 및 치료에 기반한 피질 가소성의 원인, 그와 연관된 신경학 원칙", 《Neuroplasticity: Building a Bridge from the Laboratory to the Clinic》(신경가소성: 연구소와 병원을 연결하다, J. 그라프먼 편집, 암스테르담: Elsevier 출판 1999), 169-187; M. M. 메르제니흐, 《Soft-Wired, How the New Science of Brain Plasticity Can Change Your Life》(뇌 가소성에 대한 새로운 과학이 당신의 삶을 어떻게 변화시키는가, 샌프란시스코: Parnassus 출판, 2013).

7) "리벳 실험", 《The Information Philosopher》(정보 철학자), 2016년 10월 28일 복원, http://www.informationphilosopher.com/freedom.libet_experiments.html; 벤저민 리벳, 앤서니 프리먼, 키스 서덜랜드 공저, 《The Volitional Brain: Towards a Neuroscience of Free Will》(의지를 지닌 뇌: 자유의지의 신경과학, 영국 엑시터: Imprint Academic 출판, 1999); 벤저민 리벳, "Mind Time: The Temporal Factor in Consciousness"(마음의 시간: 의식의 일시적 요인), 《Perspectives in Cognitive Neuroscience》(의식의 신경과학 관점, 메사추세츠 캠브리지: Harvard University Press 출판, 2004); M. 퍼우엔, "Does Free Will Arise Freely?"(자유의지는 자유롭게 일어나는가?), 《Scientific American Mind 14》 no. 1 (2004); 리벳은 노벨상 수상 소감 발표 중 자신의 연구를 요약하며 의식적 의지 행위와 감각의 선행(先行)에 대해 이야기했다.

8) C. S. 순 외, "인간의 뇌 속 자유 결정의 무의식적 결정 요인", 《Nature Neuroscience 11》 no. 5 (2008년 4월 13일): 543-545, doi:10.1038/nn.2112.

9) "리벳의 실험."

10) C. S. 허먼 외, "선택 반응의 분석을 통해 리벳 실험의 해석을 새롭게 하다", 《International Journal of Psychophysiology 67》 (2008): 156, http://www.fflch.usp.br/df/opessoa/Hermann%20-%20New%20interpretation%20-%20%202008.pdf.

11) 벤저민 리벳, 《Mind Time: The Temporal Factor in Consciousness》(마음의 시간:

의식의 일시적 요인, 메사추세츠: Harvard University Press 출판, 2004).

12) D. 데닛 외, 《Neuroscience and Philosophy: Brain, Mind, and Language》(신경과학과 철학: 뇌, 마음, 언어, 뉴욕: Columbia University Press 출판, 2007).

13) C. S. 키너, 《The Mind of the Spirit: Paul's Approach to Transformed Thinking》 (성령의 마음: 바울이 언급한 '변화된 생각', 그랜드래피즈: Baker Academic 출판, 2016).

14) C. M. 케이브스 외, "Unknown Quantum States: The de Finetti Representation"(알려지지 않은 양자 상태: 드 피네티의 이론), 《Journal of Mathematical Physics 43》 no. 9 (2002): 4537-4559; C. 푹스, R. 쉐크 공동집필, "Quantum-Bayesian Coherence"(양자-베이스 정리의 일관성), 《Reviews of Modern Physics 85》 no. 4 (2013): 1693; 아만다 게프터, "A Private View of Quantum Reality"(양자 실체에 대한 관점), 《Quanta Magazine》 (2015년 6월 4일), http://www.quantamagazine.org/20150604-quantum-bayesianism-qbism/.

15) 헨리 P. 스태프, "Quantum Interactive-Dualism: An Alternative to Materialism"(양자 상호 이원론: 물질주의의 대안), 《Journal of Religion and Science》 (2003년 9월 6일): 3, http://www-atlas.lbl.gov/~stapp/QID.pdf, doi:10.1111/j.1467-9744.2005.00762.x.

16) Ibid.

17) 베르너 하이젠베르크, 《Physics and Philosophy: the Revolution in Modern Science》(물리학과 철학: 근대 과학의 혁명, 뉴욕, Harper and Row 출판, 1958); 데이비드 C. 캐시디, 《Werner Heisenberg: A Bibliography of His Writing 2nd ed.》(베르너 하이젠베르크: 그가 인용한 문헌, 2차 편집, 뉴욕: Whittier 출판, 2001).

18) 존 폰 노이먼, 《Mathematical Foundations of Quantum Mechanics》(양자역학의 수학적 기반, 로버트 T. 베이어 번역, 프린스턴: Princeton University Press 출판, 1995).

19) 스태프, "양자 상호 이원론", 2.

20) 스태프, "양자 상호 이원론", 43-59.

21) M. 뷰어가드 외, "Quantum Physics in Neuroscience and Psychology: A Neurophysical Model of Mind-Brain Interaction"(신경과학과 심리학에서의 양자물리학: 생각과 뇌의 연계성을 살피는 신경물리학 모델), 《Philosophical Transactions of the Royal Society of London Series B》, 《Biological Science 360》(생태 과학 360) no. 1458 (2005): 1309-1327.

22) 게프터, "A Private View of Quantum Reality"(양자 실체에 대한 관점).
23) 키스 워드, '새로운 무신론자들', YouTube 영상.
24) 게프터, "A Private View of Quantum Reality"(양자 실체에 대한 관점).
25) P. C. W. 데이비스, 닐스 헨릭 그레게르센 공저, 《Information and the Nature of Reality: From Physics to Metaphysics》(정보, 그리고 실존의 본질: 물리학에서 형이상학으로, 영국 캠프리지: Cambridge University Press 출판, 2010): 85.
26) 뷰어가드 외, "Quantum Physics in Neuroscience and Psychology"(신경과학과 심리학에서의 양자물리학).
27) 레온 그메인들 외, "Tracking the Will to Attend: Cortical Activity Indexes Self-Generated, Voluntary Shifts of Attention"(주의집중 의지를 따라가다: 뇌 피질 활동이 자발적 주의집중을 일으킨다), 《Attention, Perception & Psychophysics》(2016), doi:10.3758/s13414-016-1159-7.
28) M. J. 파울린 외, "Giving to Others and the Association between Stress and Mortality"(다른 사람에게 베푸는 것, 그리고 스트레스와 죽음의 관계).
29) M. J. 파울린, "Volunteering Predicts Health among Those Who Value Others: Two National Studies"(다른 사람을 소중히 여기는 사람들의 자원봉사가 건강을 책임져 준다: 국가가 주도한 두 가지 연구 사례), 《Health Psychology 33》 no. 2 (2014년 2월): 120-129, doi:10.1037/a0031620.
30) 시카고 대학, "Loneliness Affects How the Brain Operates"(외로움이 뇌 기능에 미치는 영향), 《Science Daily》, 2009년 2월 17일, www.sciencedaily.com/releases/2009/02/090215151800.htm.
31) J. S. 벨, 《Speakable and Unspeakable in Quantum Mechanics》(양자역학에서 말할 수 있는 것과 말할 수 없는 것).

Chapter 6

1) G. M. 플레밍, "The Actualization of Potentialities in Contemporary Quantum Theory"(현대 양자이론의 잠재성의 실현), 《The Journal of Speculative Philosophy 4》 (1992): 259-76.

Chapter 7

1) 헨리 스태프, "Mind and Values in the Quantum Universe"(양자 우주에서의 생각과 가치).

2) C. B. 퍼트, 《Molecules of Emotion: Why You Feel the Way You Feel》(감정의 분자: 당신이 '그렇게' 느끼는 이유, 뉴욕: Scribner 출판, 1997).

3) S. T. 찰스 외, "The Wear and Tear of Daily Stressors on Mental Health"(일상의 스트레스 요인에 의한 피로가 정신건강에 미치는 영향), 《Psychological Science》(2013), doi:10.1177/0956797612462222.

4) C. 메이던 외, "Micro RNA Regulators of Anxiety and Metabolic Disorders"(근심과 대사장애 마이크로 RNA 조정자), 《Trends in Molecular Medicine 22》 no. 9 (2016): 798, doi:0.1016/j.molmed.2016.07.001; D. 콜버트, 《Deadly Emotions: Understand the Mind-Body-Spirit Connection That Can Heal You or Destroy You》(치명적인 감정: 당신을 치유할 수도, 파괴할 수도 있는 영-혼-육의 연계, 내슈빌: Thomas Nelson 출판, 2003).

5) A. 켈러 외, "Does the Perception that Stress Affects Health Matter? The Association with Health and Mortality"(스트레스에 대한 인식이 건강에 영향을 주는가? 건강과 죽음의 관계), 《Health Psychology 5》 (2012): 677-684, doi:10.1037/a0026743.

6) M. 밀러, "Laughter Helps Blood Vessels Function Better"(웃음은 혈관기능 개선에 도움이 된다), 2005년 올란도 플로리다에서 열린 미국 심장병 과학 학회 발표에서 발췌.

7) M. J. 파울린 외, "Giving to Others and the Association Between Stress and Mortality"(다른 사람에게 베푸는 것, 그리고 스트레스와 죽음의 관계).

8) 켈리 맥고니걸, "How to Make Stress Your Friend"(스트레스를 친구로 만들려면), YouTube 영상, TED토크, 2013년 9월 4일 업로드 분, 14분 28초, http://www.youtube.com/watch?v=RcGyVTAoXEU&noredirect=1.

9) 펜 스테이트, "Let It Go: Reaction to Stress More Important Than Its Frequency"(떠나보내라: 스트레스를 얼마나 자주 받는가보다 어떻게 반응하느냐가 더 중요하다), 《Science Daily》 (2016년 2월 25일), www.sciencedaily.com/releases/2016/02/160225140246.htm.

10) 처치 더슨, 《The Genie in Your Genes: Epigenetic Medicine and the New Science of Intention》(유전자 속의 지니: 후성유전 의학과 '의도'를 다루는 새로운 과학, 캘리포니아 산타로사, Energy Psychology Press 출판, 2009).

11) E. B. 라포사, H. B. 로스, E. B. 안셀 공동 집필, "Prosocial Behavior Mitigates the Negative Effects of Stress in Everyday Life"(사회를 이롭게 하는 행동은 일상 스트레스의 부정적 영향을 누그러뜨린다), 《Clinical Psychological Science》 (2015),

doi:10.1177/2167702615611073.

12) K. 네이더, G. E. 샤프, J. E. 르듀 공동 집필, "Reply-Reconsolidation: The Labile Nature of Consolidation Theory"(반응-재강화: 강화 이론의 불안정한 성격), 《Nature Reviews Neuroscience 1》 no. 3 (2000): 216-219.

13) 어떻게 생각을 변화시킬 수 있을지, 그 방법을 알고 싶다면, 내가 쓴 책 《뇌의 스위치를 켜라》의 '21일 해독 프로그램'을 참고하라.

14) 저드슨 브루어, "A Simple Way to Break a Bad Habit"(나쁜 습관을 버리는 간단한 방법), TED.com, 2015년 11월, http://www.ted.com/talks/judson_brewer_a_simple_way_to_break_a_bad_habit; 칼리나 크리스토프 외, "Mind-Wandering as Spontaneous Thought: A Dynamic Framework"(마음의 방황, 즉흥적인 생각: 역동적 프레임), 《Nature Reviews Neuroscience 17》 no. 11 (2016): 718, doi:10.1038/nrn.2016.113; 시앙 왕 외, "Cognitive Vulnerability to Major Depression"(우울증에 대한 인식적 취약성), 《Harvard Review of Psychiatry 24》 no. 3 (2016): 188, doi:10.1097/HRP.0000000000000081; 조나스 T. 캐플란 외, "Processing Narratives Concerning Protected Values: A Cross-Cultural Investigation of Neural Correlates"(소중히 여기는 가치들에 관련된 프로세스 내러티브: 여러 문화권에서 조사한 뉴런의 연관성), 《Cerebral Cortex》 (2016년 1월), doi:10.1093/cercor/bhv325.

15) K. 크리스토프 외, "Rostrolateral Prefrontal Cortex Involvement in Relational Integration During Reasoning"(논리적 사고 중 '관련 통합'에 관계하는 뇌 후측 전두엽 피질), 《Neuroimage 14》 no. 5 (2001): 1136-1149; M. 도노소 외, "Foundations of Human Reasoning in the Prefrontal Cortex"(전두엽에서의 논리적 사고 기반), 《Science 344》 no. 6191 (2014): 1481-1486.

16) B. M. 쿠디엘카 외, "HPA Axis Responses to Laboratory Psychosocial Stress in Healthy Elderly Adults, Younger Adults, and Children: Impact of Age and Gender"(건강한 노년, 청년, 어린이에게서 나타나는 사회 심리적 스트레스에 대한 HPA의 반응: 나이와 성별의 영향), 《Psychoneuroendocrinology 29》 no. 1 (2004): 83-98.

17) J. A. 브루어 외, "Craving to Quit: Psychological Models and Neurobiological Mechanisms of Mindfulness Training as Treatment for Addictions"(그만두고 싶은 욕구: 중독 치료 차원에서의 깊은 사고 훈련 - 심리 모델, 신경생태학적 메커니즘), 《Psychology of Addictive Behaviors 27》 no. 2 (2012): 366-379; K. M. 개리슨

외, "Real-Time fMRI Links Subjective Experience with Brain Activity During Focused Attention"(집중하는 동안 주관적 경험과 뇌 활동의 관계, 실시간 fMRI 연결 관찰),《NeuroImage 81》(2013): 110-118.